KB0551777

DK 아틀라스 시리즈

세계대여행

글 리처드 켐프 · 그림 브라이언 델프

THE PICTURE ATLAS OF THE WORLDS

루덴스

A DORLING KINDERSLEY BOOK

Text by Richard Kemp · Illustrated by Brian Delf
Art Editor Lester Cheeseman · Designer Marcus James · Project Editor Susan Peach
Senior Editor Emma Johnson · Consultant Keith Lye
Production Teresa Solomon · Art Director Roger Priddy

First published in Great Britain in 1996
by Dorling Kindersley Limited,
80 Strand, London, WC2R ORL

Original Title : The PictureAtlas of the World

DK 아틀라스 시리즈
세계 **대여행** 초판 5쇄 발행 2020년 9월 1일

펴낸곳 루덴스 • **펴낸이** 이동숙 • **글** 리처드 켐프 • **그림** 브라이언 델프
번역 김주환 • **감수** 김주환 고종훈 • **편집** 홍미라 박정익 • **디자인** 모현정 김효정
출판등록 제16-4168호 주소 서울시 송파구 송파대로 201 송파테라타워 B동 919호
전화 02-558-9312(3) • 팩스 02-558-9314

값 24,000원 • ISBN 979-11-5552-228-8 / 979-11-5552-234-9(전10권)

교과 과정 연계표 (7차 개정)

학년 과목	단원	차례
초5 사회	환경 보전과 국토 개발	북극/남극
	우리나라의 경제 성장	한반도, 중국과 동북아시아
초6 사회	함께 살아가는 세계	세계의 인구/북극/남극/북아메리카/캐나다와 알래스카/미국 북동부에 있는 주들/남부에 있는 주들/서부에 있는 주들 멕시코, 중앙아메리카, 서인도 제도/남아메리카 남아메리카 북부/남아메리카 남부/유럽/영국 제도/프랑스 벨기에, 네덜란드, 룩셈부르크/스칸디나비아의 나라들 독일, 오스트리아, 스위스/이탈리아/에스파냐와 포르투갈 중앙유럽과 동유럽의 나라들/아시아/북부 유라시아 서남아시아/남아시아/동남아시아/한반도, 중국과 동북아시아 일본/아프리카/아프리카 북부/아프리카 남부/오세아니아 오스트레일리아/뉴질랜드
	새로운 세계에서 우리가 할 일	한반도, 중국과 동북아시아
중1 사회	아시아 및 아프리카의 생활	아시아/북부 유라시아/서남아시아/남아시아/동남아시아 한반도, 중국과 동북아시아/일본/아프리카/아프리카 북부 아프리카 남부
	자연 환경과 문화가 다양한 유럽	유럽/영국 제도/프랑스/벨기에, 네덜란드, 룩셈부르크 스칸디나비아의 나라들/독일, 오스트리아, 스위스/이탈리아 에스파냐와 포르투갈/중앙유럽과 동유럽의 나라들
	아메리카 및 오세아니아의 생활	북아메리카/캐나다와 알래스카/미국/북동부에 있는 주들 남부에 있는 주들/서부에 있는 주들/멕시코, 중앙아메리카, 서인도 제도/남아메리카/남아메리카 북부/남아메리카 남부 오세아니아/오스트레일리아/뉴질랜드
	인간사회의 역사	북극/남극
	아시아 사회의 발전과 변화	아시아/북부 유라시아/서남아시아/남아시아/동남아시아 한반도, 중국과 동북아시아/일본
중2 사회	서양 근대사회의 발전과 변화	북아메리카/캐나다와 알래스카/미국/북동부에 있는 주들 남부에 있는 주들/서부에 있는 주들/멕시코, 중앙아메리카, 서인도 제도/남아메리카/남아메리카 북부/남아메리카 남부 유럽/영국 제도/프랑스/벨기에, 네덜란드, 룩셈부르크 스칸디나비아의 나라들/독일, 오스트리아, 스위스/이탈리아 에스파냐와 포르투갈/중앙유럽과 동유럽의 나라들
	아시아 사회의 변화와 근대적 성장	아시아/북부 유라시아/서남아시아/남아시아/동남아시아 한반도, 중국과 동북아시아/일본
	현대 세계의 전개	유럽/영국 제도/프랑스/벨기에, 네덜란드, 룩셈부르크 스칸디나비아의 나라들/독일, 오스트리아, 스위스/이탈리아 에스파냐와 포르투갈/중앙유럽과 동유럽의 나라들 한반도, 중국과 동북아시아
중3 사회	인구 성장과 도시 발달	세계의 인구
	지구촌 사회와 한국	한반도, 중국과 동북아시아
고등 세계사	세계와 지리	세계의 나라
	세계의 기후와 식생	세계의 기후
	세계의 지형	가장 크고, 가장 높고, 가장 긴 것은?
	우리와 가까운 국가들	아시아/북부 유라시아/서남아시아/남아시아/동남아시아/일본
	유럽 연합	유럽/영국 제도/프랑스/벨기에, 네덜란드, 룩셈부르크 스칸디나비아의 나라들/독일, 오스트리아, 스위스/이탈리아 에스파냐와 포르투갈/중앙유럽과 동유럽의 나라들
	미국과 캐나다	북아메리카/캐나다와 알래스카/미국/북동부에 있는 주들 남부에 있는 주들/서부에 있는 주들
	오스트레일리아와 뉴질랜드	오세아니아/오스트레일리아/뉴질랜드
	지역 개발에 활기를 띠는 국가들	아시아/북부 유라시아/서남아시아/남아시아/동남아시아/일본
	서남아시아 및 북부아프리카	아프리카/아프리카 북부/아프리카 남부
	중·남부 아프리카	아프리카/아프리카 북부/아프리카 남부
	라틴아메리카	멕시코, 중앙아메리카, 서인도 제도/남아메리카 남아메리카 북부/남아메리카 남부
	러시아와 그 주위 국가들	유럽/중앙유럽과 동유럽의 나라들
	동부 유럽	유럽/중앙유럽과 동유럽의 나라들
	환경 문제	북극/남극/아프리카/아프리카 북부/아프리카 남부 오세아니아/오스트레일리아/뉴질랜드

차례

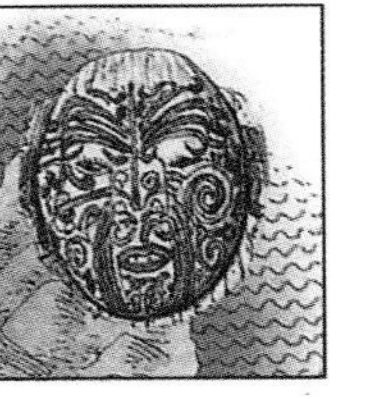

우리가 사는 지구 *Our Planet Earth*

우주에는 100억 개가 넘는 은하가 있고, 지구가 속한 '우리은하'는 태양과 같은 약 1,000억 개의 별로 이루어져 있다. 그리고 태양계에는 태양의 둘레를 도는 여덟 개의 행성이 있다. 그 행성 가운데 하나인 지구에서 우리는 살고 있다.

태양
수성
금성
지구
화성
목성
토성
천왕성
해왕성
명왕성

대기권

지구를 둘러싸고 있는 대기권은 지상에서 1,000km까지 질소, 산소, 이산화탄소, 수증기 등으로 이루어진 기체의 층이다. 태양의 열을 흡수하여 지구를 보호하는 역할을 하기 때문에 만약 대기권이 없다면 지구는 사막으로 변할 것이다. 대기권은 기체의 대부분이 모여 있는 대류권, 자외선을 흡수하는 오존층이 있는 성층권, 그리고 그 위에 기체가 거의 없어 우주 공간과 별 차이가 없는 중간권과 열권으로 이루어져 있다.

태양계

태양의 지름은 약 1,392,000km이다.(지구의 지름은 약 12,714km) 그리고 태양에서 지구까지의 거리는 약 1억 5,000만km이다. 시속 175km로 달리는 열차로 간다면 97년이 걸린다.

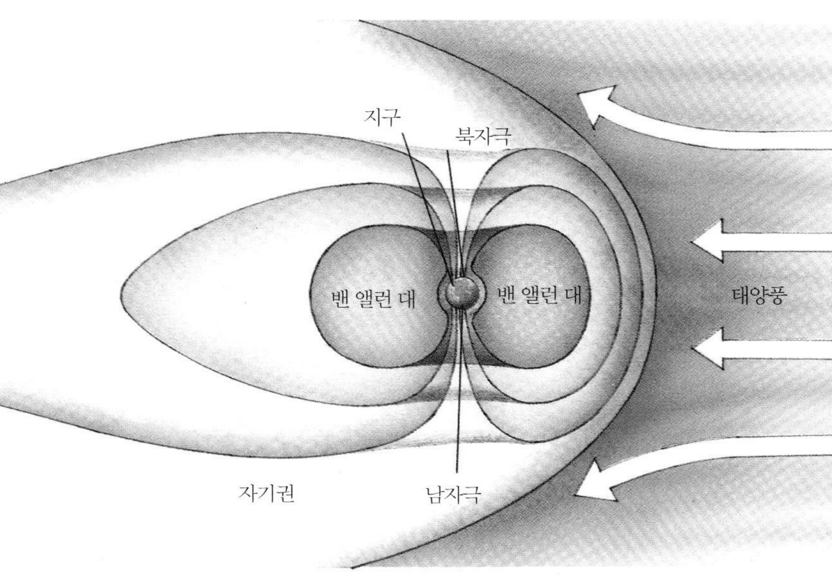

지구의 보호막

지구는 하나의 거대한 자석이다. 북극과 남극 근처에 각각 자극이 있고, 지구 둘레에는 지구를 보호하는 자기권이라는 공간이 있다. 자기권은 태양에서 불어오는 태양풍(전기를 띤 위험한 알갱이 무리)을 막는다. 그리고 자기권을 빠져 나간 알갱이들은 다시 밴 앨런 대에 막힌다.

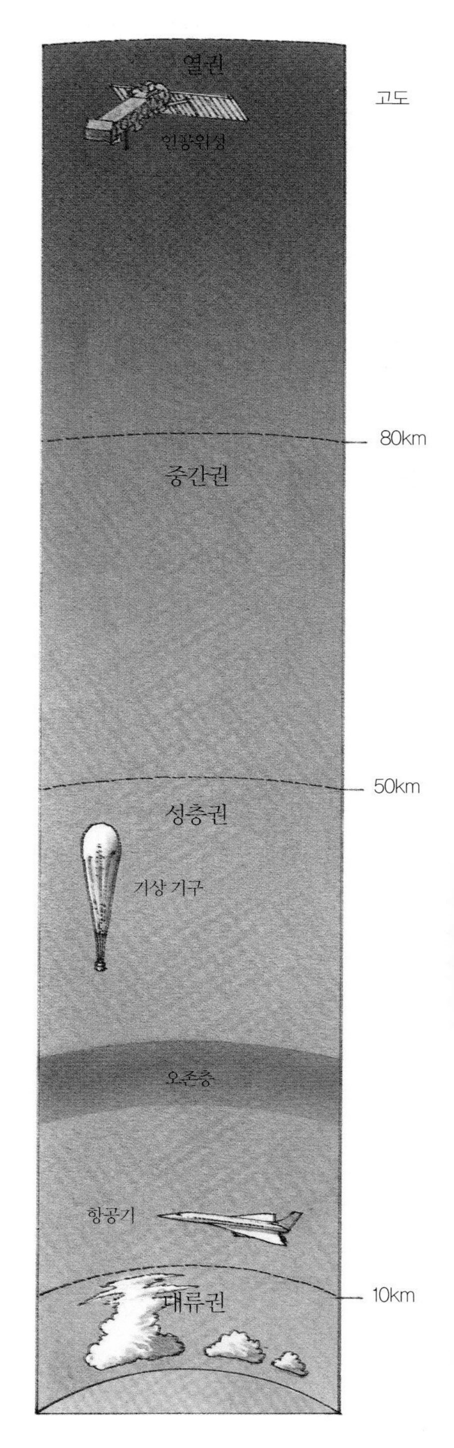

계절과 밤낮

사계절이 생기는 이유는 지구가 약간 기울어진 상태로 태양의 둘레를 공전하면서 북반구가 태양 쪽을 향하기도 하고, 남반구가 태양 쪽을 향하기도 하기 때문이다. 태양 쪽으로 향한 반구는 여름이 되고, 태양에서 멀어진 반구는 겨울이 된다. 그리고 낮과 밤이 생기는 이유는 지구의 자전 때문이다. 태양으로 향한 쪽은 낮, 반대쪽은 밤이 된다.

3월
북반구는 봄

12월
남반구는 여름

달

태양

6월
북반구는 여름

9월
남반구는 봄

지구의 내부

약 46억 년 전, 지구는 가스와 먼지가 뭉쳐진 덩어리였다. 이 덩어리가 수축하여 뜨거운 액체 상태가 되었고, 겉이 식어 딱딱한 지각이 되었다. 지구 내부는 지금도 온도가 매우 높은 액체 상태이다. 외핵에 있는 이 액체 물질의 움직임에 의해 자기장이 생긴다.

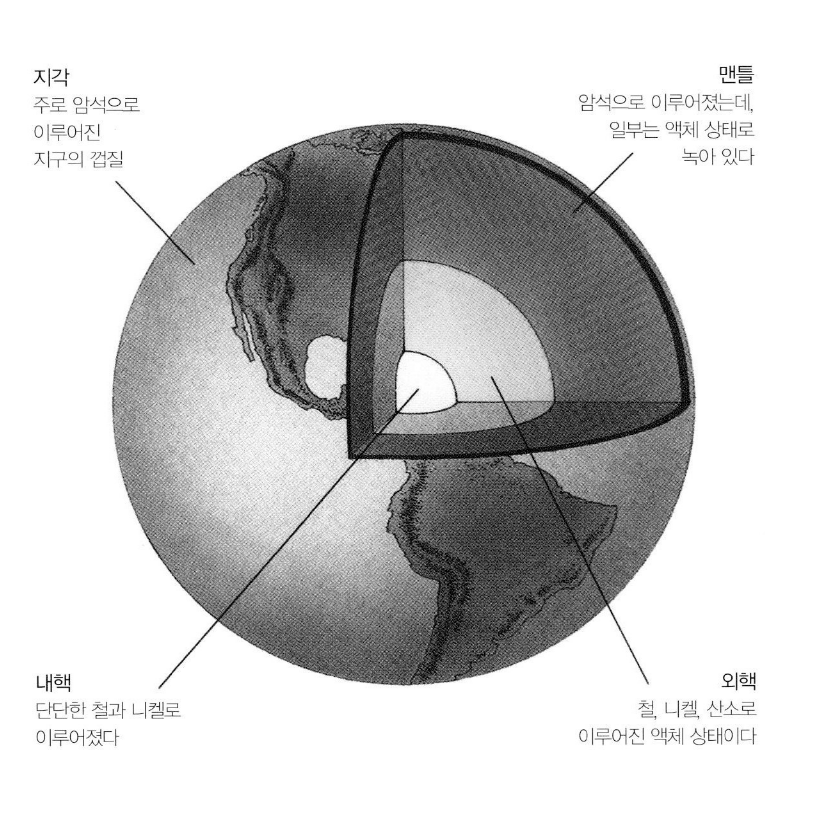

주로 암석으로 이루어진 지구의 껍질

암석으로 이루어졌는데, 일부는 액체 상태로 녹아 있다

단단한 철과 니켈로 이루어졌다

움직이는 대륙

지각은 몇 개의 커다란 판(지판)들로 이루어져 있다. 판은 맨틀의 녹아 있는 암석 위에서 떠다니면서 자력에 의해 천천히 움직인다. 약 2억 7,000만 년 전, 지구는 '판게아'라는 하나의 초대륙으로 합쳐져 있었다. 그런데 판의 움직임에 따라 갈라지기 시작했다.

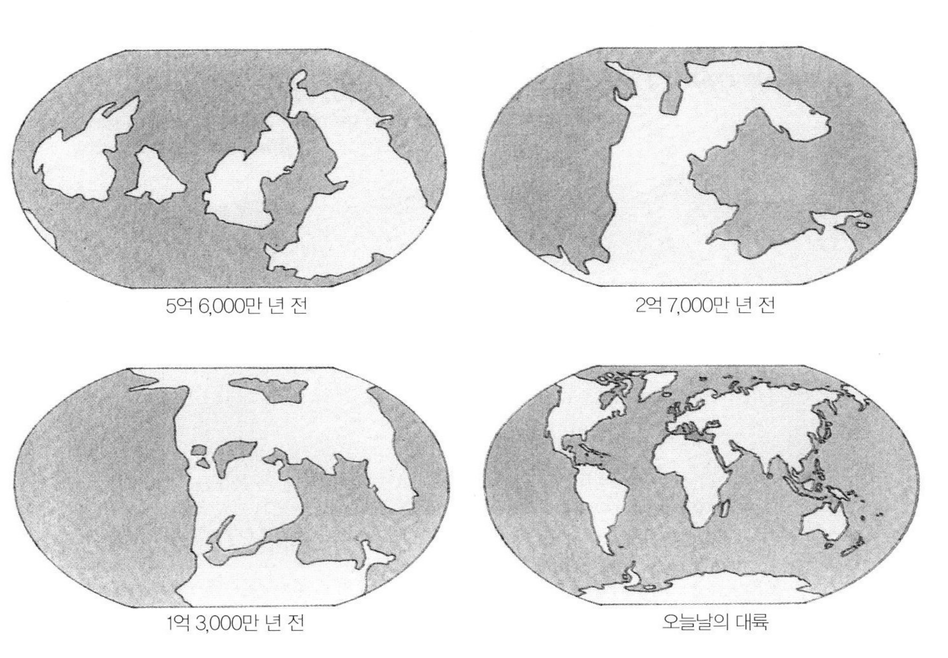

오늘날의 대륙

활동하는 지구

판들은 서로 충돌하기도 하고, 겹치기도 하고, 스치기도 한다. 판들이 움직이는 최고 속도는 1년에 고작 15㎝ 정도지만, 몇 백만 년 후의 그 결과는 매우 극적이었다. 판들이 만나는 곳에서는 거대한 산맥, 장엄한 계곡, 해저의 깊은 해구가 만들어졌다. 그리고 그 결과로 지진, 화산, 간헐온천 등이 생겼다.

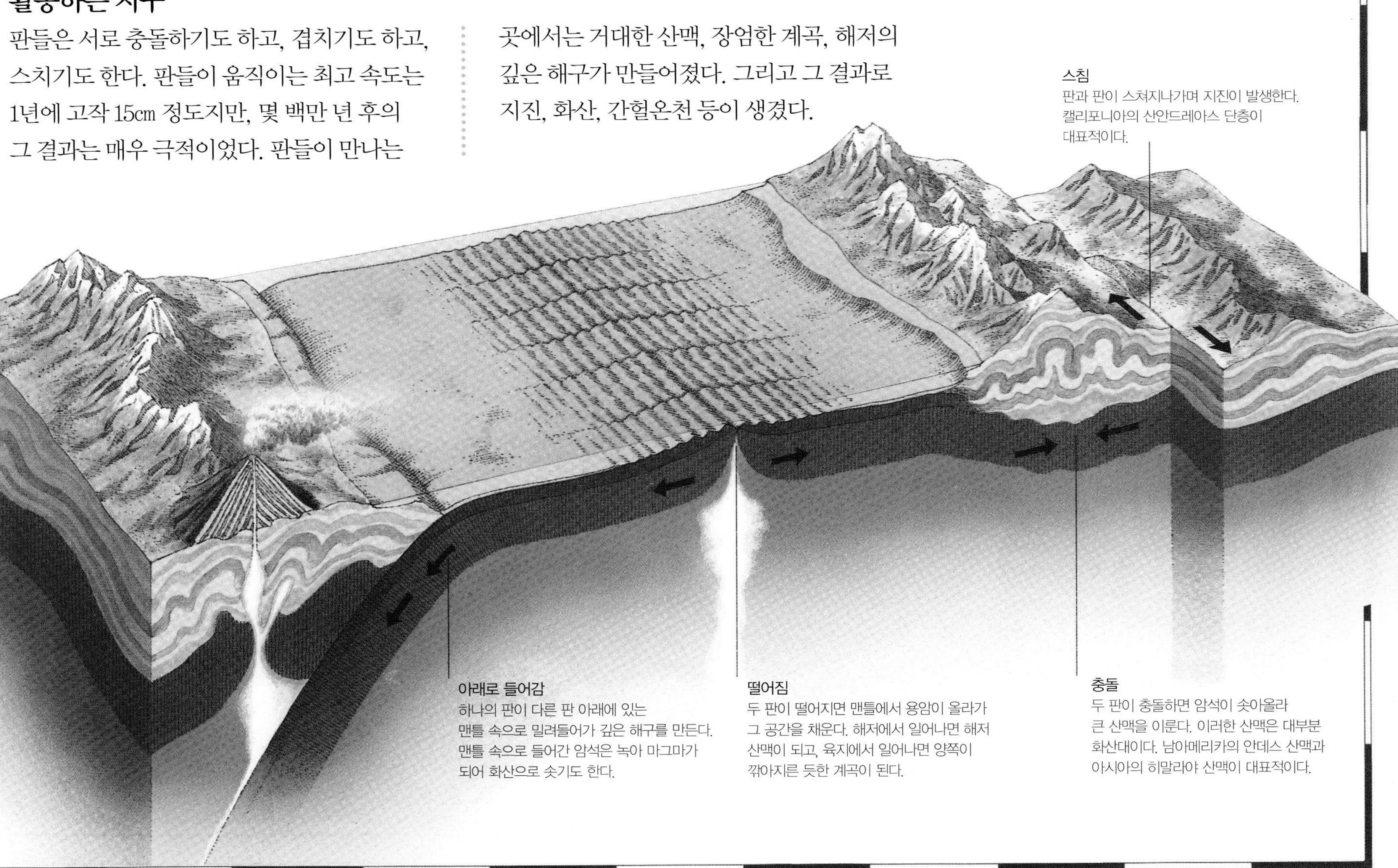

스침
판과 판이 스쳐지나가며 지진이 발생한다. 캘리포니아의 산안드레아스 단층이 대표적이다.
아래로 들어감
하나의 판이 다른 판 아래에 있는 맨틀 속으로 밀려들어가 깊은 해구를 만든다. 맨틀 속으로 들어간 암석은 녹아 마그마가 되어 화산으로 솟기도 한다.
떨어짐
두 판이 떨어지면 맨틀에서 용암이 올라가 그 공간을 채운다. 해저에서 일어나면 해저 산맥이 되고, 육지에서 일어나면 양쪽이 깎아지른 듯한 계곡이 된다.
충돌
두 판이 충돌하면 암석이 솟아올라 큰 산맥을 이룬다. 이러한 산맥은 대부분 화산대이다. 남아메리카의 안데스 산맥과 아시아의 히말라야 산맥이 대표적이다.

세계의 기후 *Climates around the World*

기후는 위도의 영향을 받는다. 적도 근처는 세계에서 가장 더운 곳이고, 적도에서 멀어질수록 추워진다. 세계에서 가장 추운 지역은 북극과 남극 주위의 극지방이다. 기후는 또 바다에 의해서도 영향을 받는다. 연안 지역의 온도는 해풍의 영향을 받기 때문에 내륙보다 기온차가 적다. 고도 역시 기후에 영향을 준다. 높은 곳일수록 기온이 낮다. 그런데 세계에는 다른 지역임에도 비슷한 기후를 보이는 곳들이 있다. 사막 지대는 아프리카에, 북아메리카에 그리고 오스트레일리아에도 있다.

극지와 툰드라

북극과 남극은 얼음으로 덮여 있다. 1년 중 오직 2, 3개월만 기온이 영상으로 올라간다. 북극의 남쪽 둘레에는 얼어 있는 툰드라 지역이 있다. 기후가 매우 건조하여 '추운 사막'이라고도 한다.

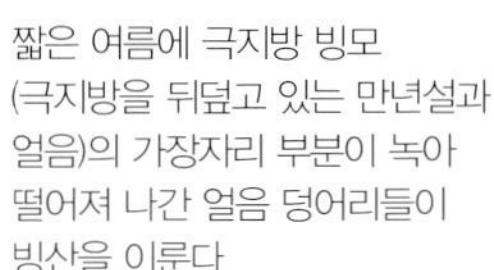

짧은 여름에 극지방 빙모(극지방을 뒤덮고 있는 만년설과 얼음)의 가장자리 부분이 녹아 떨어져 나간 얼음 덩어리들이 빙산을 이룬다

고산 지대

고산 지대는 높은 곳일수록 춥고 기온의 변화가 심하다. 낮은 산기슭에서는 나무나 풀이 자라기도 하지만, 삼림 한계를 넘으면 기온이 너무 낮아서 식물이 살 수 없다. 더 높이 올라가면 설선(사철 눈이 녹지 않는 곳과 녹는 곳의 경계선)에 이르고, 설선 위쪽은 만년설과 얼음에 덮여 있다.

탄자니아의 킬리만자로 산은 적도 바로 아래에 있지만, 산봉우리는 일 년 내내 눈에 덮여 있다

타이가

타이가('침엽수림'이라는 뜻)는 캐나다, 스칸디나비아, 러시아 등의 북쪽 지역에 있는 광대한 상록수 숲이다. 눈 덮인 겨울과 짧은 여름을 이겨내고 살아갈 수 있는 식물은 가문비나무, 소나무, 전나무 등 상록수뿐이다.

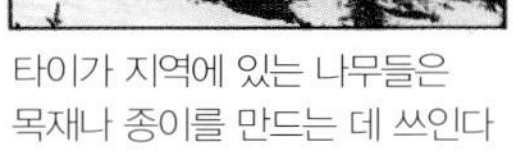

타이가 지역에 있는 나무들은 목재나 종이를 만드는 데 쓰인다

온대림

북유럽 대부분과 북아메리카의 일부는 기온이 따뜻한 온대 지역이다. 연중 비가 고르게 내리고, 나무는 낙엽수가 대부분이다. 온통 숲으로 덮여 있었지만, 무분별한 벌목으로 지금은 황량한 곳이 많다.

북유럽 대부분이 농지로 개간되어 이런 숲은 군데군데 남아 있을 뿐이다

해저

해저에는 산맥, 평원, 해구 등 갖가지 지형이 있다. 세계에서 가장 긴 산맥은 인도양과 태평양에 걸쳐 있는 해저 산맥(해령)이다. 동아프리카에서 인도양을 지나 태평양을 가로질러 캘리포니아 만에 이르는 이 산맥은 30,900km에 달한다. 바다에서 가장 깊은 곳은 일본 근처의 태평양에 있는 깊이 11,034m의 마리아나 해구이다. 그리고 바다의 가장 얕은 부분은 대륙의 가장자리를 둘러싸고 있는 해저이다. 이런 곳을 대륙붕이라고 한다.

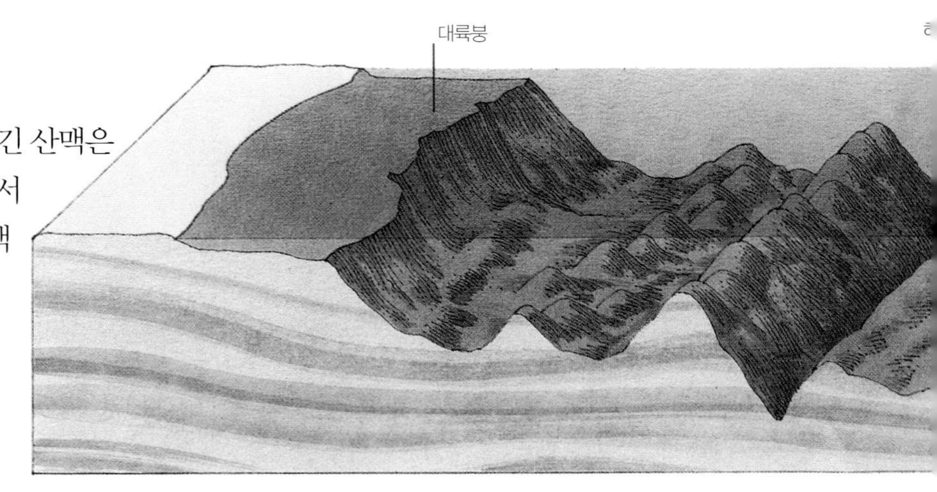

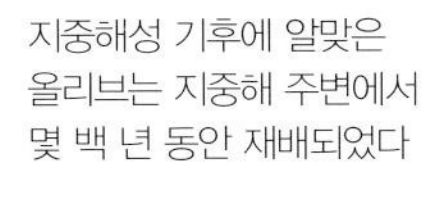

지중해성 기후에 알맞은 올리브는 지중해 주변에서 몇 백 년 동안 재배되었다

지중해성 기후

지중해 주변의 기후와 그와 비슷한 북아메리카 캘리포니아 등의 기후를 말한다. 덥고 건조한 여름과 서늘하고 비가 많은 겨울이 특징이다. 나무와 농작물은 비가 적게 오는 여름에도 잘 견딜 수 있는 종류들이다.

남아메리카의 팜파스에서는 주로 소를 기른다

건조 초원

북아메리카의 프레리, 아시아의 스텝, 아르헨티나의 팜파스는 광대한 초원 지대이다. 이들 지역은 겨울과 여름의 한서 차이가 매우 심하다. 대부분 농지로 바뀌어 지금은 밀 재배와 소 방목에 이용된다.

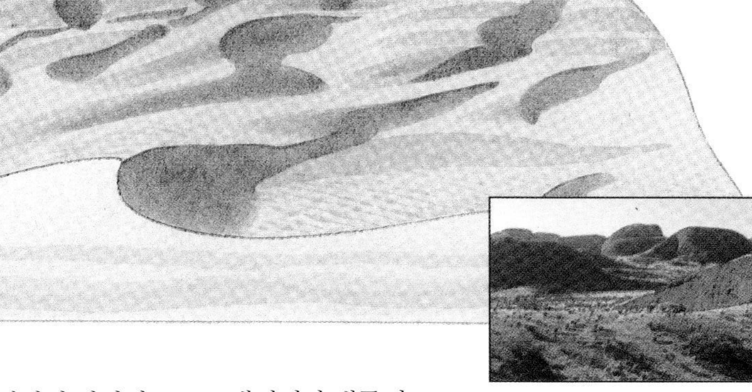

오스트레일리아의 건조한 사막 평원은 대륙 면적의 3분의 2를 차지한다. 극소수의 동식물만이 살아갈 수 있다.

사막

아프리카의 사하라 사막과 오스트레일리아 내륙의 열대 사막은 세계에서 가장 덥고 건조한 지역이다. 기온이 그늘에서도 38℃까지 이르고, 어떤 곳에서는 몇 년 동안 비가 오지 않는다. 사막에서는 건조에 강한 선인장만 자란다.

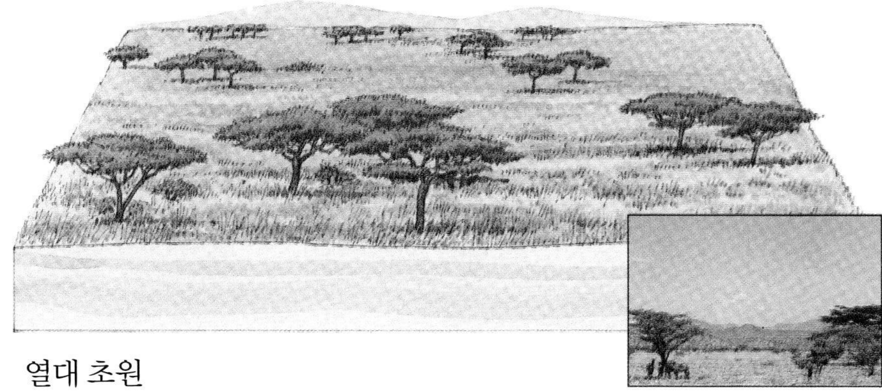

아프리카의 사바나. 얼룩말, 가젤, 누 같은 초식 동물들의 마지막 남은 낙원이다.

열대 초원

비가 많은 적도 부근의 밀림과 건조하고 더운 사막 사이에 아프리카의 사바나 같은 열대 초원 지대가 있다. 기온이 높고, 일 년이 우기와 건기로 나뉘는 이 지대에는 풀과 교목, 관목 등이 자라고 있다.

프랑스 면적의 12배나 되는 아마존 열대 우림. 새와 동물의 종류가 세계에서 가장 많다.

열대 우림

적도 근처는 일 년 내내 고온 다습하고, 언제나 27~28℃ 정도를 유지하고 있다. 식물의 성장에 알맞은 기후이기 때문에 적도 근처는 정글로 뒤덮였다. 그러나 지금은 대부분 개간되어 남아메리카의 아마존 강 유역에 남아 있을 뿐이다.

세계의 나라

The Countries of the World

세계에서 가장 큰 나라는 유럽과 아시아에 걸쳐 있는 러시아이다. 그 다음은 캐나다, 다음은 중국이다. 이와는 반대로 세계에서 가장 작은 나라는 이탈리아 로마에 있는 전체 면적 0.44㎢의 도시 국가 바티칸이다. 러시아에 비해 3,900만 배나 작다.

위도와 경도

위도를 나타내는 선은 동서로 그어 적도를 0도로 하고, 북쪽과 남쪽을 '북위 몇 도', '남위 몇 도'로 나타낸다. 경도를 나타내는 선은 남북으로 그어 영국 그리니치를 지나는 본초 자오선을 0도로 하고, 동쪽과 서쪽을 '동경 몇 도', '서경 몇 도'로 나타낸다. 위도와 경도는 세계에서의 위치를 쉽게 알기 위해 지구 둘레에 그어놓은 상상의 선이다.

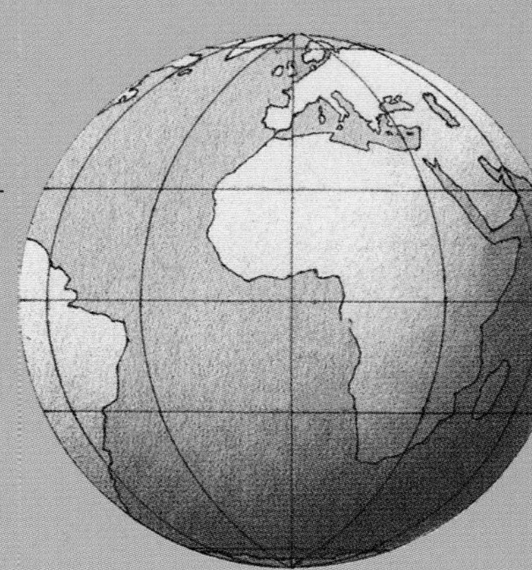

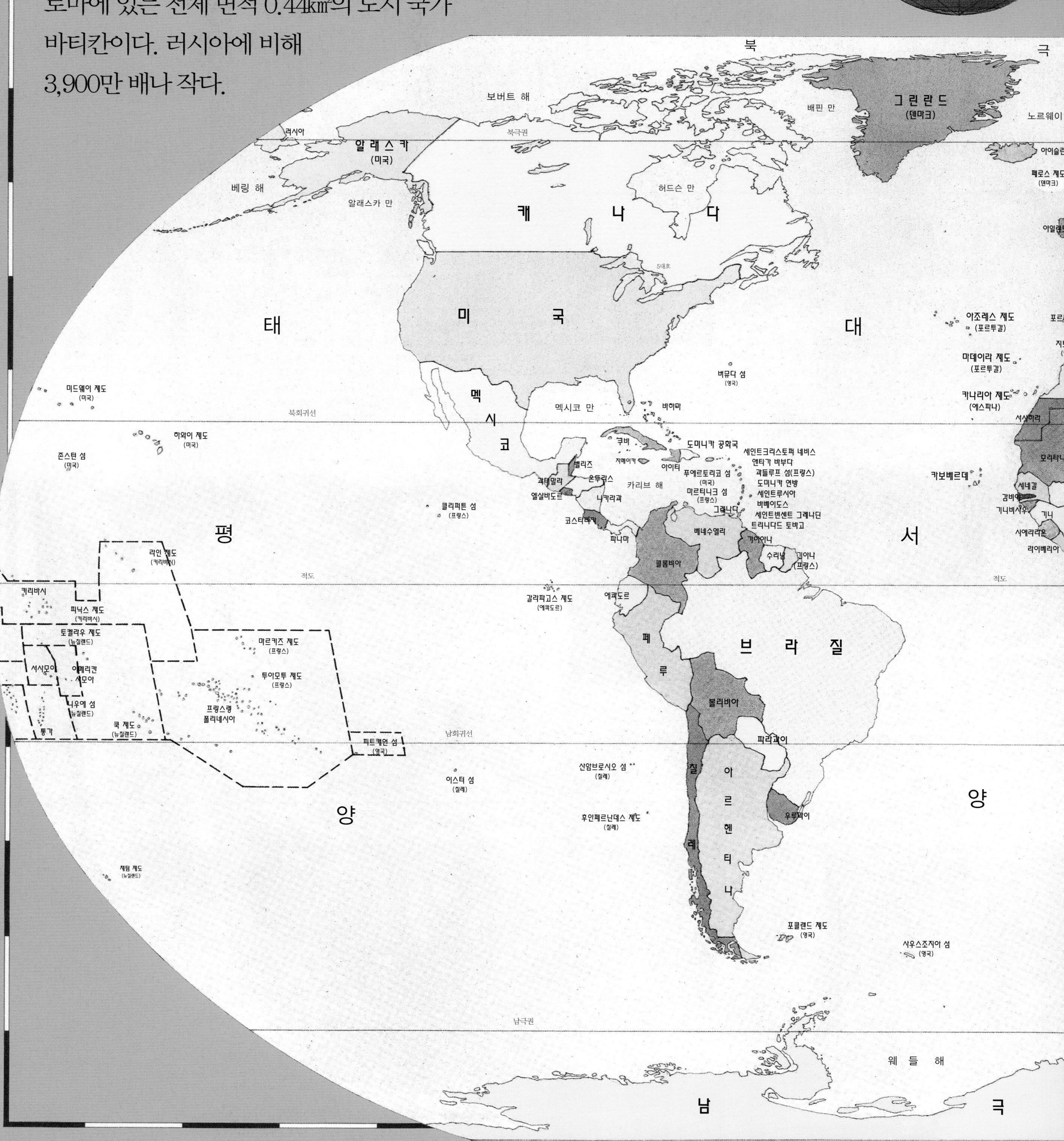

지도 그리기

지구는 둥글기 때문에 평면 위에 지도를 그리는 것은 매우 어렵다. 지구 표면을 잘라 그리는 방법이 있긴 하지만, 사용하기가 불편하다. 그래서 아래처럼 한눈에 볼 수 있는 모양으로 그리는 경우가 많다. 아래 지도는 '정적 도법'이라는 투영법으로 그린 것인데, 각 대륙의 면적 비율이 정확하고, 적도 근처의 지역은 모양이 정확하다. 하지만 그린란드나 남극 대륙처럼 극지방에 가까운 곳일수록 모양이 일그러지는 단점이 있다.

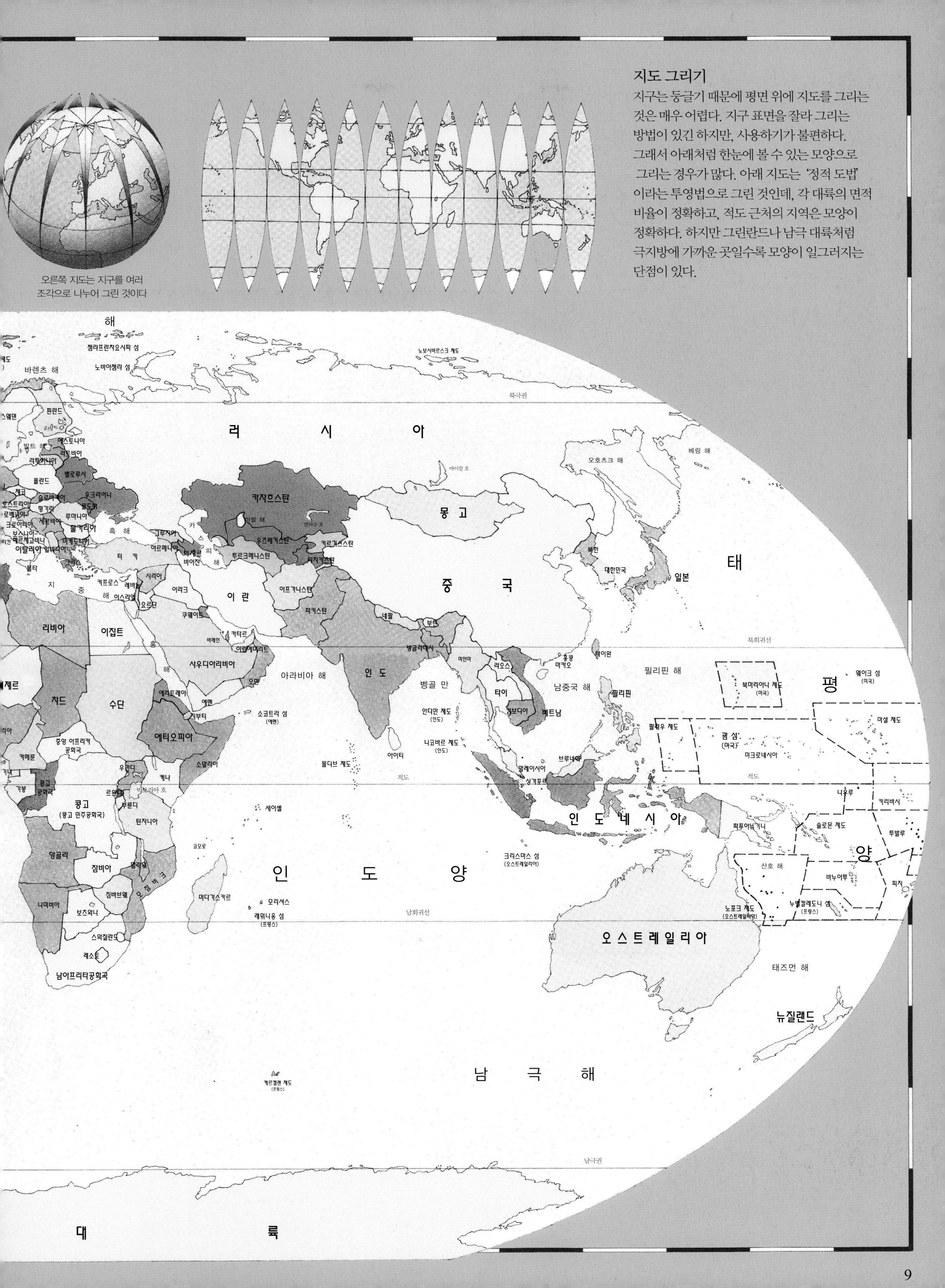

가장 크고, 가장 높고, 가장 긴 것은?

The Biggest, Highest, and Longest on Earth

지구에서 가장 긴 강은? 에베레스트 산의 높이는? 세계에서 가장 큰 섬은?

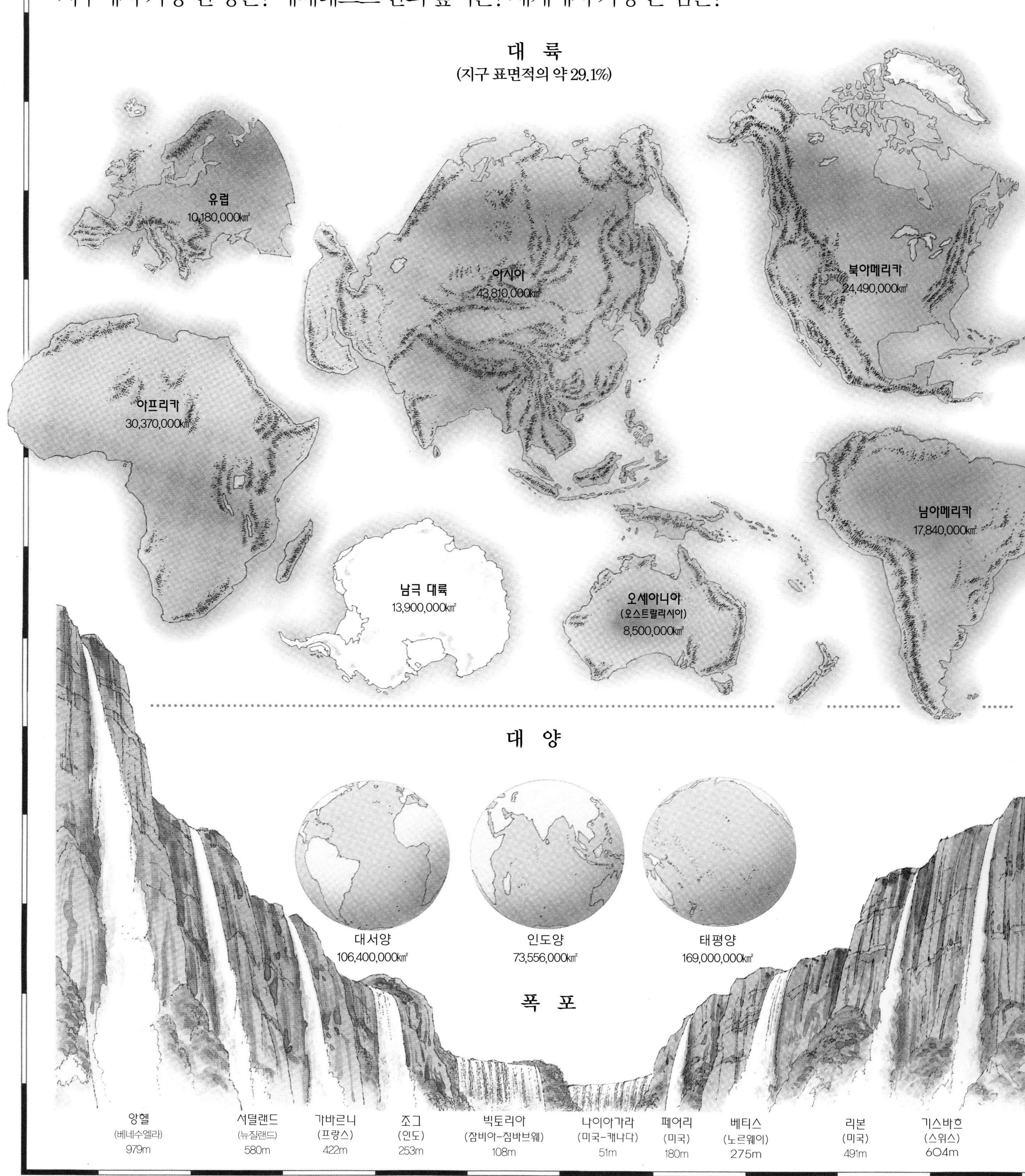

 *고등 세계지리 세계의 지형

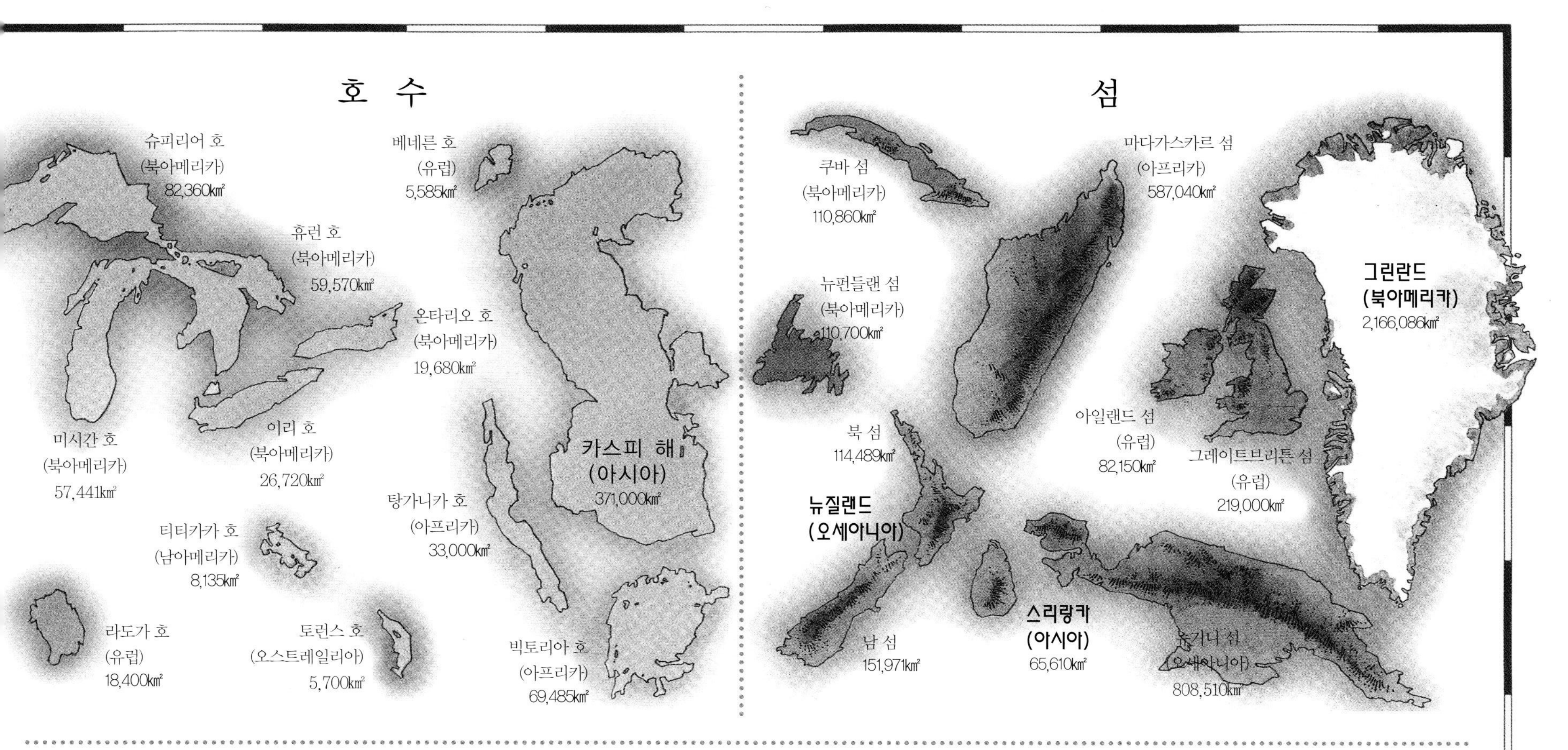
호 수
슈피리어 호
(북아메리카)
82,360㎢
베네른 호
(유럽)
5,585㎢
휴런 호
(북아메리카)
59,570㎢
온타리오 호
(북아메리카)
19,680㎢
미시간 호
(북아메리카)
57,441㎢
이리 호
(북아메리카)
26,720㎢
카스피 해
(아시아)
371,000㎢
탕가니카 호
(아프리카)
33,000㎢
티티카카 호
(남아메리카)
8,135㎢
라도가 호
(유럽)
18,400㎢
토런스 호
(오스트레일리아)
5,700㎢
빅토리아 호
(아프리카)
69,485㎢
섬
쿠바 섬
(북아메리카)
110,860㎢
마다가스카르 섬
(아프리카)
587,040㎢
뉴펀들랜 섬
(북아메리카)
110,700㎢
그린란드
(북아메리카)
2,166,086㎢
북 섬
114,489㎢
아일랜드 섬
(유럽)
82,150㎢
그레이트브리튼 섬
(유럽)
219,000㎢
뉴질랜드
(오세아니아)
스리랑카
(아시아)
65,610㎢
남 섬
151,971㎢
뉴기니 섬
(오세아니아)
808,510㎢

강과 산

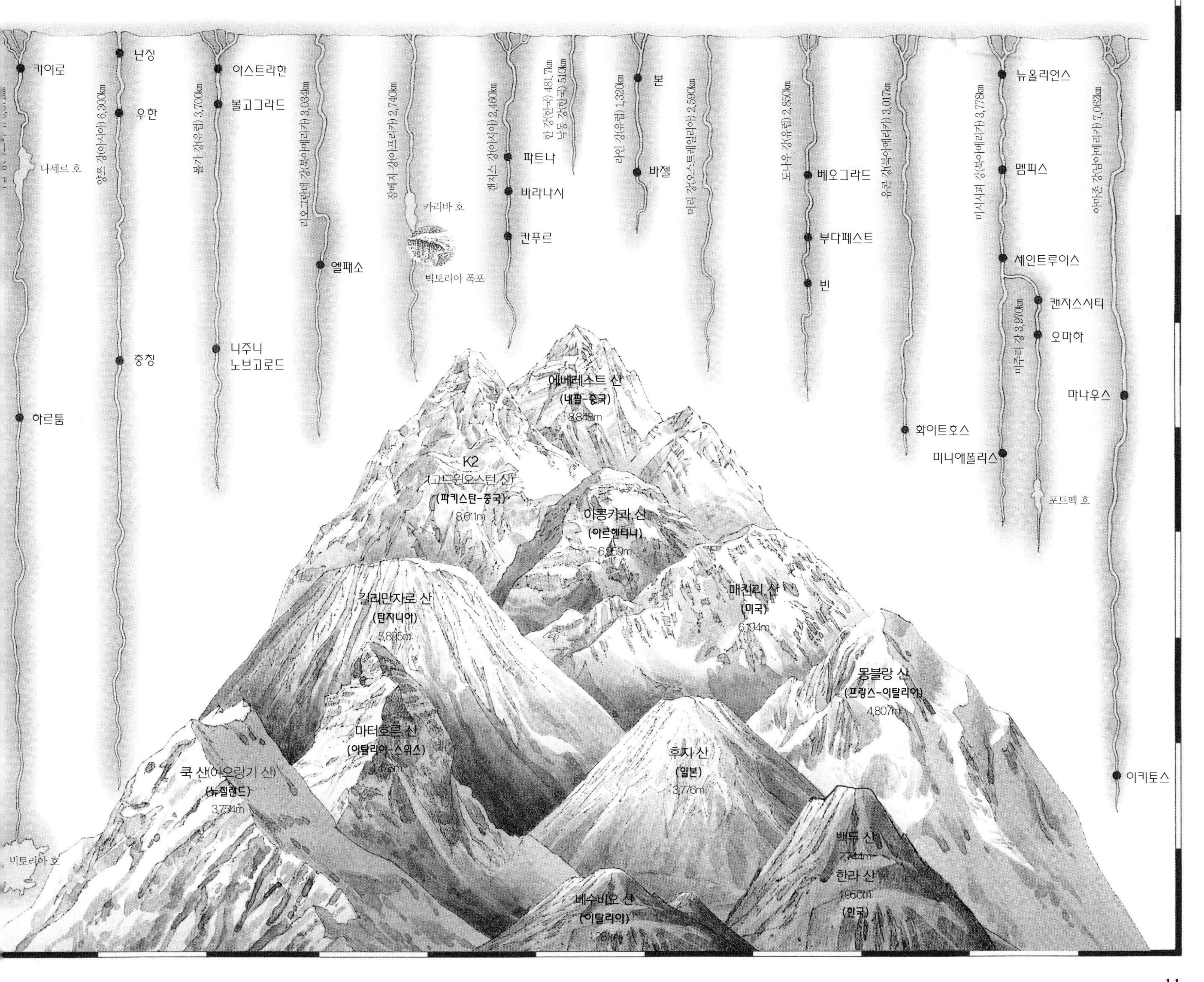
카이로
하르툼
나세르 호
양쯔 강(아시아) 6,300㎞
난징
우한
충칭
볼가 강(유럽) 3,700㎞
아스트라한
볼고그라드
니주니
노브고로드
리오그란데 강(북아메리카) 3,034㎞
엘패소
잠베지 강(아프리카) 2,740㎞
카리바 호
빅토리아 폭포
갠지스 강(아시아) 2,460㎞
파트나
바라나시
칸푸르
한 강(한국) 481.7㎞
낙동 강(한국) 510㎞
라인 강(유럽) 1,320㎞
본
바젤
머리 강(오스트레일리아) 2,590㎞
도나우 강(유럽) 2,850㎞
베오그라드
부다페스트
빈
유콘 강(북아메리카) 3,017㎞
화이트호스
미시시피 강(북아메리카) 3,778㎞
뉴올리언스
멤피스
세인트루이스
미니애폴리스
미주리 강 3,970㎞
캔자스시티
오마하
포트펙 호
아마존 강(남아메리카) 7,062㎞
마나우스
이키토스
에베레스트 산
(네팔-중국)
8,848m
K2
(고드윈오스틴 산)
(파키스탄-중국)
8,611m
아콩카과 산
(아르헨티나)
6,959m
킬리만자로 산
(탄자니아)
5,895m
매킨리 산
(미국)
6,194m
몽블랑 산
(프랑스-이탈리아)
4,807m
마터호른 산
(이탈리아-스위스)
4,478m
후지 산
(일본)
3,776m
쿡 산(아오랑기 산)
(뉴질랜드)
3,754m
빅토리아 호
백두 산
2,744m
한라 산
1,950m
(한국)
베수비오 산
(이탈리아)
1,281m

세계의 인구 *Where People Live*

세계의 인구는 75억이 넘는다. 중국이 14억 이상으로 가장 많고, 그 다음이 인도, 미국 순이다. 유럽과 아시아는 인구 밀도가 높은데, 한국은 1㎢에 평균 약 500명이, 네덜란드는 약400명이 살고 있다. 이에 반해 오스트레일리아에는 1㎢에 고작 3명이 살고 있다. 인구는 지금도 계속 증가하고 있어 전문가들은 2050년에 세계의 인구가 100억이 넘을 것으로 예상한다.

각 대륙의 인구

아래는 각 대륙의 인구이다. 남극 대륙에는 상주인구가 한 사람도 없고, 과학자들과 기술자들만이 살고 있을 뿐이다.

= 10,000,000명

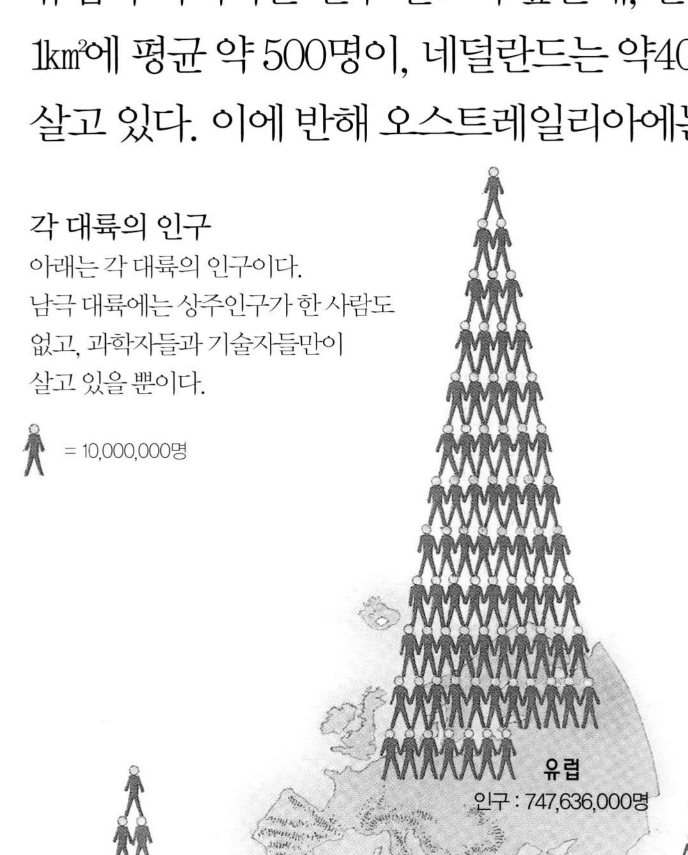

유럽
인구 : 747,636,000명

유럽은 인구 과밀지역이다. 대부분이 도시에서 살고 있다.

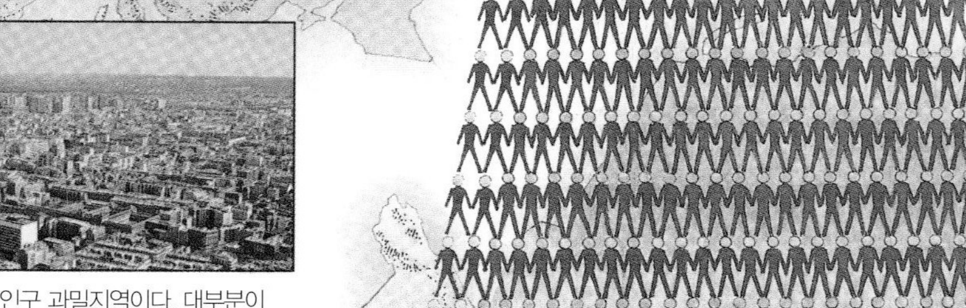

아시아
인구 : 4,641,054,000명

북아메리카
인구 : 368870,000명

북아메리카에는 아메리카 인디언, 유럽 계통, 아프리카 계통, 에스파냐 계통 사람들이 섞여 있다.

세계 인구의 절반이 아시아에서 살고 있다. 중국 동부와 한국, 일본, 홍콩 등은 세계에서 인구 밀도가 가장 높다.
한국 51,778,000명(세계 26위)
북한 25,778,000명(세계 47위)

아프리카
인구 : 1,340,598,000명

아시아에는 인구가 엄청나게 많지만, 티베트처럼 매우 적은 곳도 있다.

남아메리카에서 사는 사람들은 대부분 원주민과 에스파냐에서 온 식민지 개척자들의 후손이다.

남아메리카
인구 : 430,760,000명

아프리카에는 여러 종족의 사람들이 살고 있다. 500종류가 넘는 아프리카 언어가 있지만, 많은 나라들이 영어, 프랑스어, 포르투갈어를 공용어로 쓰고 있다.

남극 대륙

오스트레일리아에서는 사람들이 대부분 시드니, 멜버른 같은 대도시에서 살고 있다. 대륙 중앙의 광대한 지역은 사람들이 살고 있지 않다.

오세아니아
인구 : 42,677,000명

세계 여행 가이드 *How to Use this Atlas*

이 책은 대륙별로(남극 대륙, 북아메리카, 남아메리카, 유럽, 아시아, 아프리카, 오세아니아) 구성되었다. 각 장의 처음에 아래에 있는 아시아의 지도처럼 대륙 전체를 나타낸 지도가 있다. 그 다음에는 아래의 프랑스 지도처럼 각 나라의 지도가 이어진다. 그래서 그 대륙에 있는 모든 나라를 볼 수 있다.

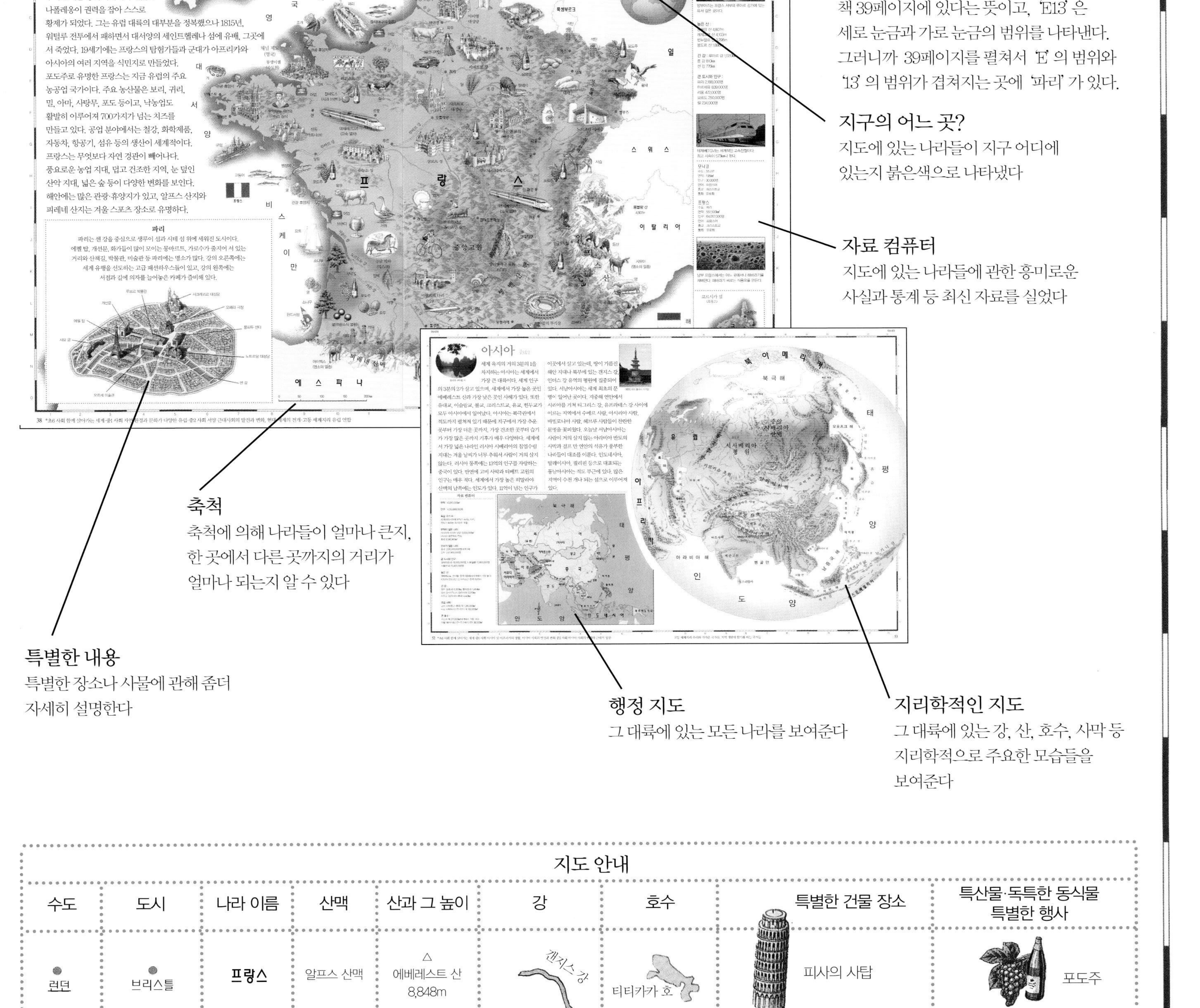
이웃 나라들
이웃 나라들은 노란색으로 나타냈다
눈금 기호
각 페이지 둘레에 눈금 기호가 있어 지명을 쉽게 찾을 수 있다. '파리'를 찾는다면 우선 이 책 77~80페이지에 있는 '찾아보기'에서 '파리'를 찾는다. '파리' 옆에 '39 E13'이라고 씌어 있을 것이다. '39'는 '파리'가 이 책 39페이지에 있다는 뜻이고, 'E13'은 세로 눈금과 가로 눈금의 범위를 나타낸다. 그러니까 39페이지를 펼쳐서 'E'의 범위와 '13'의 범위가 겹쳐지는 곳에 '파리'가 있다.
지구의 어느 곳?
지도에 있는 나라들이 지구 어디에 있는지 붉은색으로 나타냈다
자료 컴퓨터
지도에 있는 나라들에 관한 흥미로운 사실과 통계 등 최신 자료를 실었다
축척
축척에 의해 나라들이 얼마나 큰지, 한 곳에서 다른 곳까지의 거리가 얼마나 되는지 알 수 있다
특별한 내용
특별한 장소나 사물에 관해 좀더 자세히 설명한다
행정 지도
그 대륙에 있는 모든 나라를 보여준다
지리학적인 지도
그 대륙에 있는 강, 산, 호수, 사막 등 지리학적으로 주요한 모습들을 보여준다
프랑스 France
아시아

지도 안내								
수도	도시	나라 이름	산맥	산과 그 높이	강	호수	특별한 건물 장소	특산물·독특한 동식물 특별한 행사
● 런던	● 브리스틀	**프랑스**	알프스 산맥	△ 에베레스트 산 8,848m	갠지스 강	티티카카 호	피사의 사탑	포도주

북극 *The Arctic*

그린란드섬 대부분과 북아메리카, 유럽, 아시아의 북쪽 끝이 북극권에 속한다. 기온이 무척 낮아 북극해의 대부분이 항상 얼어 있고, 한겨울에는 해가 뜨지 않고 한여름에는 해가 지지 않는다. 이렇게 기후가 나쁜데도 여러 동식물과 에스키모, 라프 족이 살고 있다. 기원전 2,500년경부터 에스키모는 섬 대부분이 항상 얼음에 덮여 있는 그린란드에서 살아 왔다. 하지만 서기 986년경에 바이킹이 식민지로 개척하면서 지금은 덴마크의 자치령이다.

자료 컴퓨터

그린란드의 빙하(얼음이 흐르는 강)

가장 높은 산 :
권비외른 산(그린란드) 3,700m

북극의 얼음 아래 :
육지가 없다. 1958년, 미국의 잠수함 노틸러스 호가 얼음 아래로 항해해 증명했다.

북극을 지나는 항공로 :
우럽과 북아메리카 사이의 가장 짧은 항공로이다.

그린란드
면적 : 2,166,086㎢
인구 : 56,000명

*초5 환경 보전과 국토개발·초6 사회 함께 살아가는 세계·중1 사회 인간사회의 역사·고등 세계지리 환경 문제

남극 *The Antarctic*

세계에서 가장 춥고 기후가 나쁜 남극의 대부분은 두께가 평균 2㎞나 되는 얼음에 덮여 있다. 보스토크 기지에서 1983년에 기록된 영하 89.2℃는 세계 최저 기온이다. 식물은 거의 살지 못하고, 물범, 펭귄 같은 동물들은 바닷속에서 먹이를 찾아 먹고 살아간다. 남극은 어느 나라의 영토도 아니지만, 많은 나라들이 영유권을 주장하고 있다. 과학적인 연구를 위해 남극에 기지를 세운 나라도 많다. 한국은 1988년, 킹조지 섬에 세종기지를 세웠다.

자료 컴퓨터

남극 대륙에는 세계 얼음의 90%가 있다.

지구 온난화가 남극 얼음을 녹인다.
온난화가 계속되면서 남극의 빙하가 녹아 해수면이 상승하고 있다. 그로 인해 많은 섬들이 물에 잠기고 생태계가 변하는 등 자연재해가 잇따르고 있다.

남극 대륙
면적 : 13,900,000㎢
인구 : 소수의 과학자와 기술자들만 거주
기후 : 춥고 건조하며, 바람이 셈

북아메리카 *North America*

캐나다와 미국이 북아메리카 대륙의 4분의 3 이상을 차지하고 있다. 대륙의 북쪽 끝은 북극권에 속해 있으며, 캐나다 북동쪽에는 세계에서 가장 큰 섬인 그린란드가 있다.

대륙의 서부에는 로키 산맥이 남북으로 우뚝 솟아 있다. 이 산맥의 동쪽에는 미시시피 강과 미주리 강이 흐르는 기름진 농경지 그레이트 플레인스가 있다. 그리고 대륙의 남동쪽 해안에는 카리브 해의 섬들이 있고, 미국의 남쪽에는 멕시코와 작은 일곱 나라로 이루어진 중앙아메리카가 있다.

캐나다 앨버타 주의 아름다운 경치

멕시코 팔렌케의 고대 마야 도시 유적

기원전 40,000년경, 아시아 사람들이 당시 알래스카와 시베리아를 잇고 있는 육지를 통해 북아메리카에 처음 이주했다. 이들이 아메리카 인디언의 조상이다. 유럽인들이 식민지 개척을 시작했던 16세기 이후에는 영국인들이 200년간 북아메리카 대부분을 지배하고, 에스파냐인들이 중앙아메리카를 정복했다. 아메리카로 건너가 식민지를 개척한 영국인들은 영국 본토의 지배에서 벗어나기 위해 독립 전쟁(1755~1783)을 일으켜 오늘날의 미국을 세웠다. 캐나다도 1867년에 독립했다.

유럽인들은 미국 남부의 여러 주와 카리브 해 섬들의 농장에서 일꾼으로 쓰기 위해 300년 동안 아프리카의 흑인 노예들을 배로 싣고 왔다. 그래서 오늘날 북아메리카 사람들은 세계 여러 지역에서 온 사람들이 섞여 있다. 언어는 영어가 공용어이지만 일부 캐나다인들은 프랑스어를 쓴다. 멕시코와 중앙아메리카에서는 에스파냐어를 쓰고 있다.

미국 워싱턴 시의 국회 의사당

번호와 이름
1. 세인트크리스토퍼 네비스
2. 앤티카 바부다
3. 과들루프 섬(프랑스)
4. 도미니카 연방
5. 마르티니크 섬(프랑스)
6. 세인트루시아
7. 세인트빈센트 그레나딘
8. 바베이도스
9. 그레나다
10. 트리니다드 토바고

하와이 제도

북아메리카 자료 컴퓨터

면적 : 24,490,000㎢

인구 : 368,869,000명

독립 국가 수 : 23개국

면적순 : 캐나다 9,984,670㎢, 미국 9,826,630㎢, 멕시코 1,972,550㎢

인구순 : 미국 331,002,000명, 멕시코 128,932,000명

큰 도시와 인구 :
멕시코시티(멕시코) 12,294,000명, 뉴욕(미국) 8,175,000명
로스앤젤레스(미국) 3,971,000명, 시카고(미국) 2,720,000명

높은 산 : 매킨리 산(미국) 6,194m, 로건 산(캐나다) 5,959m

긴 강 : 미시시피 강–미주리 강 6,019㎞, 유콘 강 3,017㎞, 매켄지 강 1,790㎞

큰 호수 : 슈피리어 호(미국–캐나다) 82,360㎢, 휴런 호(미국–캐나다) 59,570㎢
그레이트베어 호(캐나다) 31,153㎢

큰 섬 : 그린란드 2,166,086㎢, 배핀 섬 476,000㎢

가장 더운 곳 : 미국 캘리포니아 주에 있는 데스밸리.(죽음의 계곡)
1917년에 섭씨 48.9도까지 올라감.

세계에서 가장 짧은 강 :
미국 몬태나 주의 그레이트폴스 근처에서 미주리 강에 합류하는 로 강. 61m밖에 안 됨.

세계에서 물이 가장 높이 솟는 간헐 온천 :
미국 옐로스톤 국립공원에 있는 스팀보트 간헐 온천. 115m까지 솟음.

세계에서 가장 긴 국경선 : 캐나다와 미국의 국경선. 6,416㎞

 *초6 사회 함께 살아가는 세계·중1 사회 아메리카 및 오세아니아의 생활··중2 사회 서양 근대사회의 발전과 변화·고등 세계지리 미국과 캐나다

아시아
유럽
북극해
그린란드
배핀 만
데이비스 해협
보퍼트 해
뱅크스 섬
배핀 섬
빅토리아 섬
대서양
래브라도 해
유콘 강
매킨리 산
그레이트 베어 호
매켄지 산맥
코디액 섬
알래스카 만
로건 산
그레이트 슬레이브 호
허드슨 만
뉴펀들랜드 섬
애서배스카 호
퀸샬럿 제도
로키 산맥
위니펙 호
매니토바 호
밴쿠버 섬
태평양
휴런 호
코드 곶
슈피리어 호
그레이트플레인스
이리 호
미시간 호
미주리 강
대분지
애팔래치아 산맥
미시시피 강
콜로라도 강
소앤틸리스 제도
멕시코 만
리오그란데 강
캘리포니아 만
대앤틸리스 제도
카리브 해
유카탄 반도
온두라스 만
오리사바 산
니카라과 호
남아메리카

캐나다와 알래스카 *Canada and Alaska*

캐나다는 세계에서 두 번째로 큰 나라이지만, 인구는 미국의 10분의 1밖에 안 된다. 그나마 반 이상이 5대호와 세인트로렌스 강 주위에서 살고 있다. 캐나다 북부는 넓은 숲과 툰드라(여름에만 땅이 녹아 이끼류가 자라는 북극 근처의 거친 벌판)로 덮여 있고, 서부에는 로키 산맥이, 중앙에는 소 방목과 밀 재배가 이루어지는 '프레리' 라는 대평원이 있다. 캐나다 최초의 주민은 인디언과 에스키모였다. 그러다 17세기에 식민지 개척자들에 의해 대영 제국의 일부가 되었지만, 1867년에 독립했다. 식민지 개척 시대 당시 프랑스의 영향을 받아 지금도 프랑스어를 쓰고 있는 사람들이 많다. 캐나다의 북서쪽에는 미국의 가장 큰 주이면서 세계 주요 석유 산지 가운데 하나인 알래스카가 있다.

몬트리올

중요 항구 도시이자 캐나다에서 두 번째로 큰 도시인 몬트리올은 무역과 공업의 중심지이다. 시민의 3분의 2가 프랑스어를 사용하고 있어 프랑스 파리에 이어 세계에서 둘째로 큰 프랑스어 사용 도시이다. 1642년, 프랑스의 무역인들이 이 도시를 세우고 이름을 '빌 마리' 라고 했다.

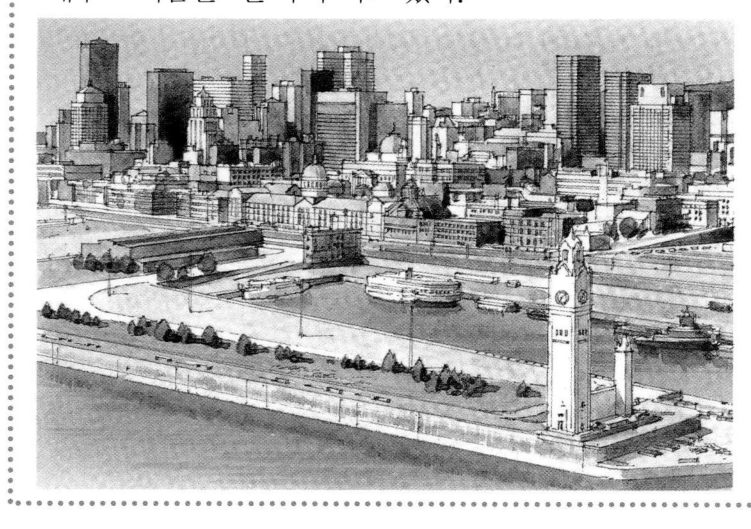

 *초6 사회 함께 살아가는 세계·중1 사회 아메리카 및 오세아니아의 생활·중2 사회 서양 근대사회의 발전과 변화·고등 세계지리 미국과 캐나다

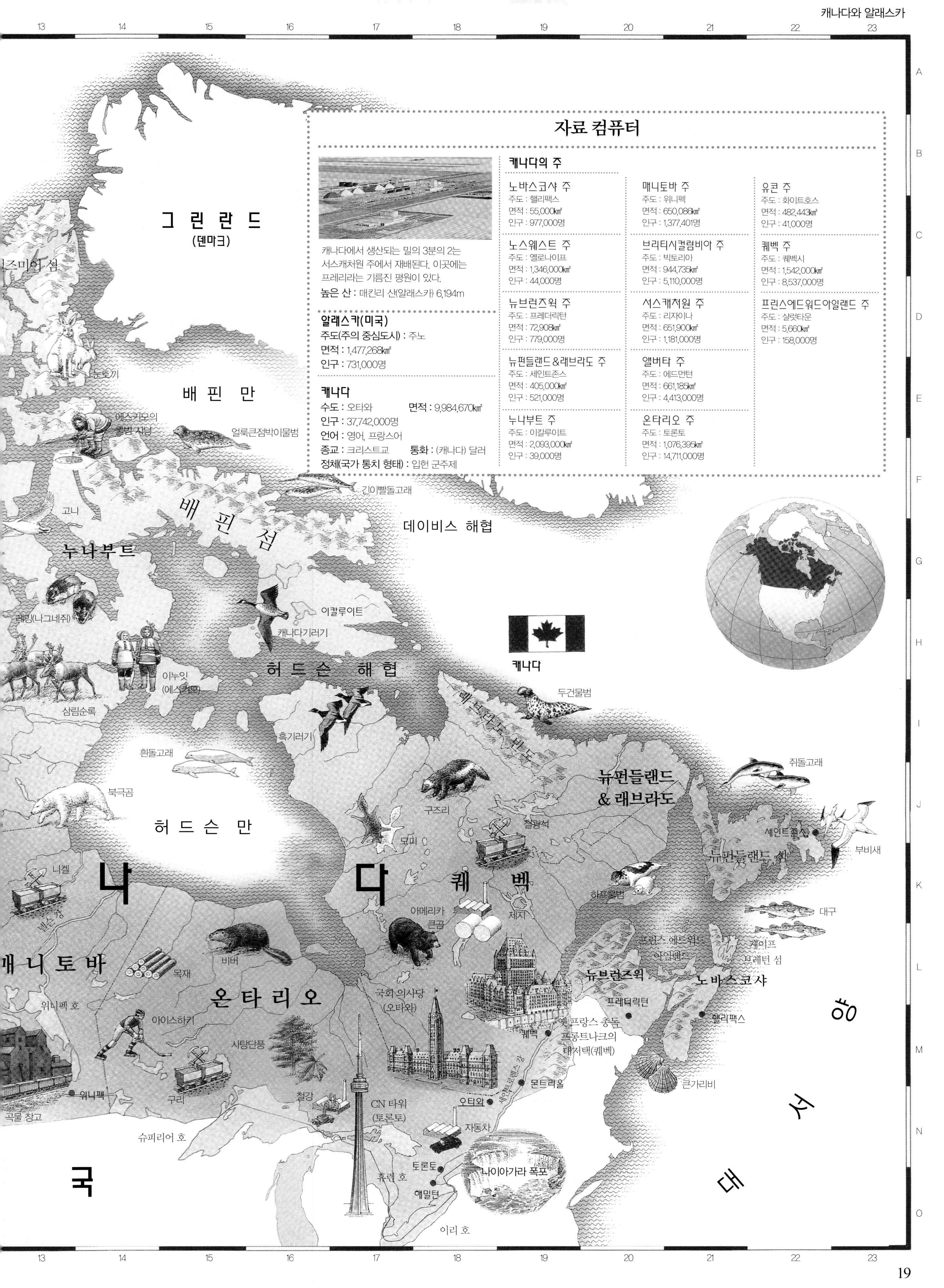

자료 컴퓨터

캐나다에서 생산되는 밀의 3분의 2는 서스캐처원 주에서 재배된다. 이곳에는 프레리라는 기름진 평원이 있다.

높은 산 : 매킨리 산(알래스카) 6,194m

알래스카(미국)
주도(주의 중심도시) : 주노
면적 : 1,477,268㎢
인구 : 731,000명

캐나다
수도 : 오타와 면적 : 9,984,670㎢
인구 : 37,742,000명
언어 : 영어, 프랑스어
종교 : 크리스트교 통화 : (캐나다) 달러
정체(국가 통치 형태) : 입헌 군주제

캐나다의 주

노바스코샤 주
주도 : 핼리팩스
면적 : 55,000㎢
인구 : 977,000명

노스웨스트 주
주도 : 옐로나이프
면적 : 1,346,000㎢
인구 : 44,000명

뉴브런즈윅 주
주도 : 프레데릭턴
면적 : 72,908㎢
인구 : 779,000명

뉴펀들랜드&래브라도 주
주도 : 세인트존스
면적 : 405,000㎢
인구 : 521,000명

누나부트 주
주도 : 이칼루이트
면적 : 2,093,000㎢
인구 : 39,000명

매니토바 주
주도 : 위니펙
면적 : 650,086㎢
인구 : 1,377,401명

브리티시컬럼비아 주
주도 : 빅토리아
면적 : 944,735㎢
인구 : 5,110,000명

서스캐처원 주
주도 : 리자이나
면적 : 651,900㎢
인구 : 1,181,000명

앨버타 주
주도 : 에드먼턴
면적 : 661,185㎢
인구 : 4,413,000명

온타리오 주
주도 : 토론토
면적 : 1,076,395㎢
인구 : 14,711,000명

유콘 주
주도 : 화이트호스
면적 : 482,443㎢
인구 : 41,000명

퀘벡 주
주도 : 퀘벡시
면적 : 1,542,000㎢
인구 : 8,537,000명

프린스에드워드아일랜드 주
주도 : 샬럿타운
면적 : 5,660㎢
인구 : 158,000명

미국 The United States of America

미국은 세계 최대 공업국이다. 철, 석탄, 석유 등의 지하자원을 바탕으로 공업이 발달했다. 농업도 활발히 이루어져 곡물, 면화, 담배 등을 수출하고 있다. 곡물 수출량은 해마다 미국을 제외한 전세계의 수출량보다 많다. 로키 산맥과 애팔래치아 산맥 사이의 기름진 그레이트플레인스(광대한 초원 지대)에서 농업이 대규모로 이루어지고 있다. 미국 최초의 주민은 아메리카 인디언이었다. 그러다 식민지 개척시대에 영국, 이탈리아, 아일랜드, 폴란드 등에서 사람들이 이주해 왔다. 미국의 흑인은 당시 아프리카에서 잡혀 온 노예들의 후손이다. 근래에는 멕시코와 남아메리카에서 온 히스패닉(에스파냐어를 사용하는 사람들)과 아시아에서 온 사람들이 늘어났다. 그래서 미국은 흔히 '인종의 도가니' 라고 불린다. 미국에는 50개의 주가 있고, 주마다 독자적인 행정부가 있다.

자료 컴퓨터

뉴잉글랜드 지역은 아름다운 숲과 오래 된 목조 가옥으로 유명하다

미국
수도 : 워싱턴
면적 : 9,826,630㎢
인구 : 331,002,000명
언어 : 영어
종교 : 크리스트교
통화 : (미국) 달러
정체(국가 통치 형태) : 공화제

미국

북동부에 있는 주들 The Northeastern States

미국의 북동부는 미국에서 인구 밀도가 가장 높다. 많은 사람들이 보스턴, 뉴욕, 필라델피아, 볼티모어, 워싱턴 등에서 살고 있다. 이 동해안 일대는 유럽인들이 처음으로 식민지를 개척한 곳이기도 하다. 1620년에 영국의 식민지 개척자들이 뉴플리머스와 매사추세츠에 건설한 최초의 식민지는 지금도 뉴잉글랜드라고 불린다. 북동부 내륙에는 세계에서 가장 큰 담수호 지역인 5대호가 있다. 이 호수들은 미국과 캐나다의 국경의 일부가 되어 있으며, 그 주변은 시카고, 피츠버그, 디트로이트 등을 중심으로 미국에서 가장 큰 공업 지대이다. 주요 생산품은 철강, 자동차, 화학제품, 섬유, 석탄 등인데, 특히 디트로이트는 미국 자동차 공업의 중심지이다. 5대호의 서쪽과 북서쪽에 걸쳐 있는 그레이트플레인스에는 미네소타 주, 위스콘신 주, 아이오와 주가 있다. 밀과 옥수수가 대부분 이 지역에서 재배되기 때문에 이 지역을 '팜 벨트' (농장 지대)라고 부른다.

우즈 호
레이니 호
두스
흰머리수리
비버
철광석
슈피리어 호
노스다코타
어퍼레드 호
로어레드 호
젖소
덜루스
미네소타
구리
밀 호
스트로부스 소나무
미
사우스다코타
칠면조
세인트폴
미니애폴리스
위스콘신
체리
크랜베리
그린 만
미시시피 강
젖소
맥주
미식 축구
콩
밀워키
매디슨
돼지
수시티
아이오와
시어스타워 (높이 443m, 세계에서 두 번째로 높은 빌딩)
데모인
네브래스카
육우
밀수확
일리노이
화학 공업
게이트웨이 아치 (세인트루이스)
스프링필드
곡물 창고
비행기 제작
캔자스시티
제퍼슨시티
세인트루이스
캔자스
미주리
스프링필드
콩
양계
섬유공업
목화
오하이오 강
오클라호마
아칸소

뉴욕

미국에서 가장 큰 도시 뉴욕은 중요 무역항이자 세계 금융의 중심지이다. 중심부에는 맨해튼 섬의 고층 빌딩이 하늘을 찌를 듯 즐비해 있다. 왼쪽의 110층 쌍둥이 빌딩(세계무역센터)은 2001년 9.11 테러에 의해 파괴되었다.

세계무역센터

자료 컴퓨터

세계에서 가장 높은 빌딩인 '시어스타워'가 시카고에 우뚝 솟아 있다

북동부에 있는 주들

주	주도	면적	인구
뉴욕 주	올버니	122,310㎢	19,440,000명
뉴저지 주	트렌턴	22,608㎢	8,936,000명
뉴햄프셔 주	콩코드	24,217㎢	1,371,000명
아이오와 주	디모인	145,743㎢	3,179,000명
델라웨어 주	도버	6,452㎢	982,000명
오하이오 주	콜럼버스	116,096㎢	11,747,000명
로드아일랜드 주	프로비던스	4,002㎢	1,056,000명
웨스트버지니아 주	찰스턴	62,755㎢	1,778,000명
매사추세츠 주	보스턴	27,336㎢	6,976,000명
위스콘신 주	매디슨	169,639㎢	5,851,000명
메릴랜드 주	아나폴리스	32,133㎢	6,083,000명
인디애나 주	인디애나폴리스	94,321㎢	6,745,000명
메인 주	오거스타	86,542㎢	1,345,000명
일리노이 주	스프링필드	140,998㎢	12,659,000명
미네소타 주	세인트폴	225,181㎢	5,700,000명
컬럼비아 특별 지구		159㎢	720,000명
미시간 주	랜싱	253,793㎢	10,045,000명
켄터키 주	프랭크퍼트	104,659㎢	4,499,000명
미주리 주	제퍼슨시티	180,533㎢	6,169,000명
코네티컷 주	하트퍼드	14,356㎢	3,563,000명
버몬트 주	몬트필리어	24,923㎢	628,000명
펜실베이니아 주	해리스버그	119,283㎢	12,820,000명
버지니아 주	리치몬드	110,785㎢	8,626,000명

남부에 있는 주들

The Southern States

1861년, 미국 남부와 북부 사이에 내전(남북전쟁)이 일어났다. 전쟁의 원인 중 하나는 남부가 노예제도 폐지를 반대했기 때문이다. 당시 농업에 바탕을 두었던 남부는 커다란 농장에서 목화, 담배 등을 재배했다. 그런데 이 농장에서 일하는 사람들은 아프리카에서 붙잡혀 온 흑인 노예들이었다.
기나긴 내전 끝에 1865년, 북부가 승리하면서 노예가 해방되었다.
대서양 연안에서 멕시코와의 국경까지 펼쳐져 있는 미국 남부 한가운데를 미시시피 강이 흐르고 있다. 철도가 놓이기 전까지 이 강은 북아메리카에서 가장 중요한 상업 통로였다. 남부의 서쪽에는 소목장과 석유로 유명한 텍사스 주가 있고, 남동부에는 플로리다 반도가 관광 휴양지로 유명하다.

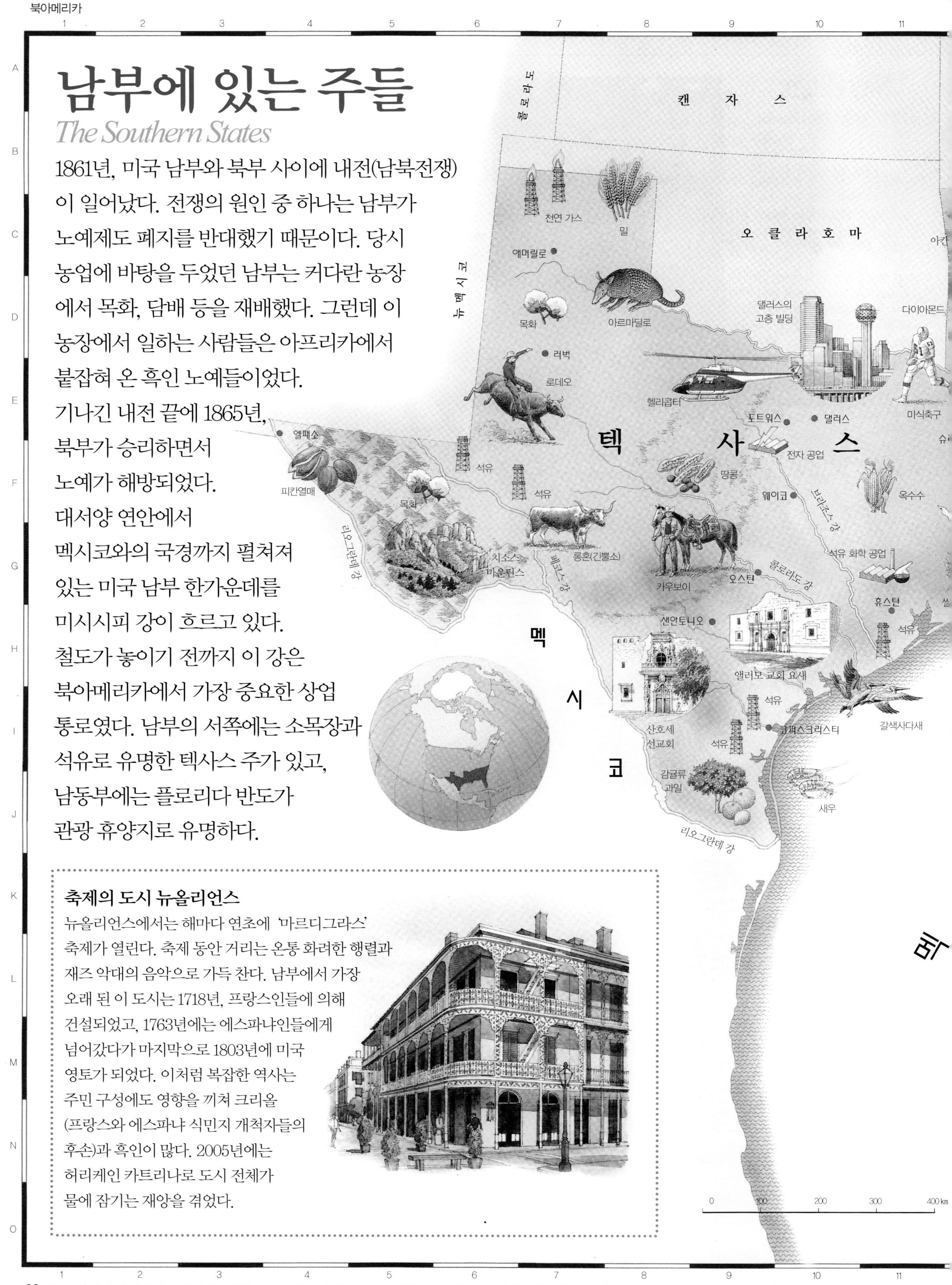

축제의 도시 뉴올리언스

뉴올리언스에서는 해마다 연초에 '마르디그라스' 축제가 열린다. 축제 동안 거리는 온통 화려한 행렬과 재즈 악대의 음악으로 가득 찬다. 남부에서 가장 오래 된 이 도시는 1718년, 프랑스인들에 의해 건설되었고, 1763년에는 에스파냐인들에게 넘어갔다가 마지막으로 1803년에 미국 영토가 되었다. 이처럼 복잡한 역사는 주민 구성에도 영향을 끼쳐 크리올(프랑스와 에스파냐 식민지 개척자들의 후손)과 흑인이 많다. 2005년에는 허리케인 카트리나로 도시 전체가 물에 잠기는 재앙을 겪었다.

 *초6 사회 함께 살아가는 세계·중1 사회 아메리카 및 오세아니아의 생활·중2 사회 서양 근대사회의 발전과 변화·고등 세계지리 미국과 캐나다

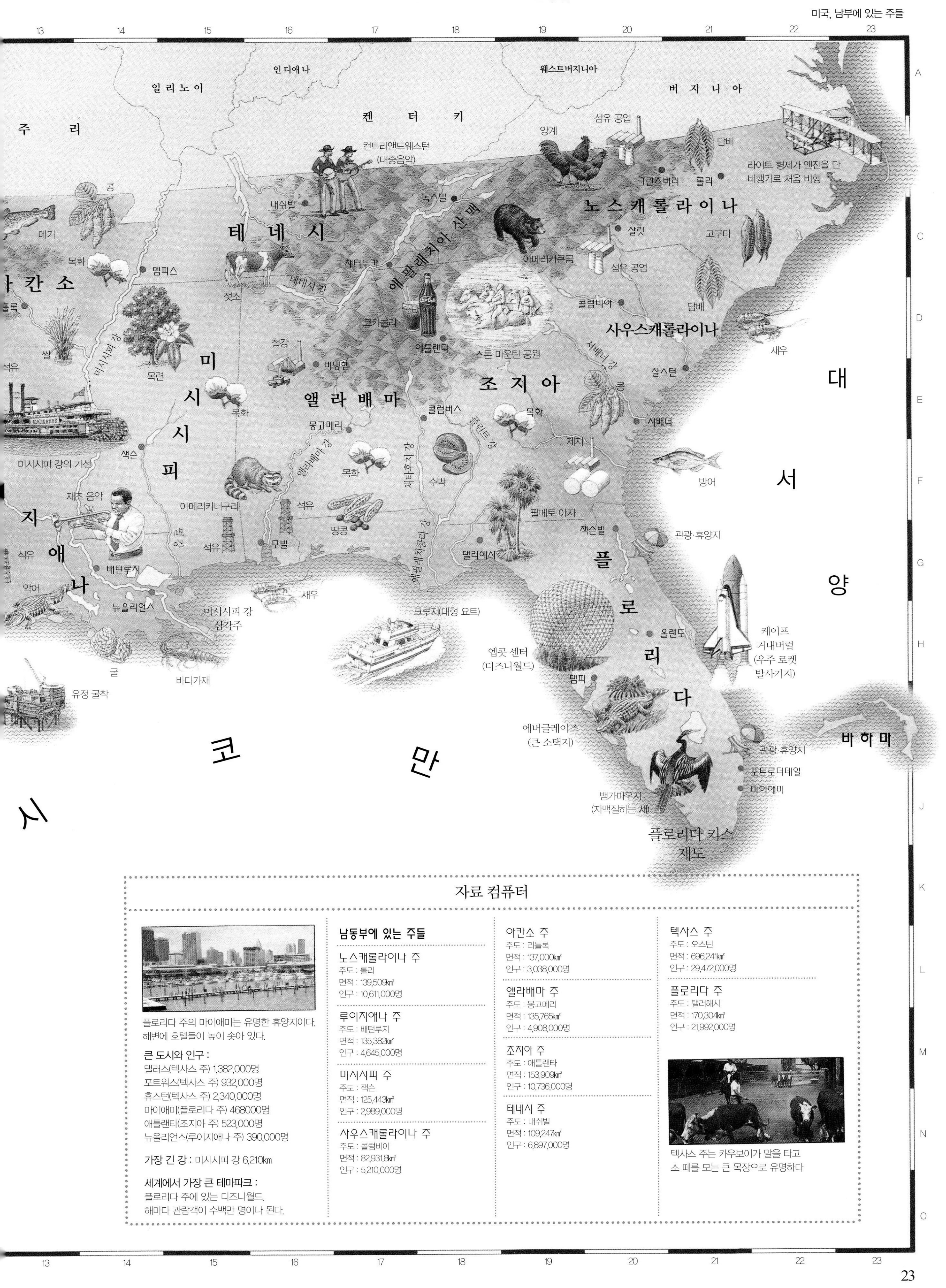

자료 컴퓨터

플로리다 주의 마이애미는 유명한 휴양지이다. 해변에 호텔들이 높이 솟아 있다.

큰 도시와 인구 :
댈러스(텍사스 주) 1,382,000명
포트워스(텍사스 주) 932,000명
휴스턴(텍사스 주) 2,340,000명
마이애미(플로리다 주) 468000명
애틀랜타(조지아 주) 523,000명
뉴올리언스(루이지애나 주) 390,000명

가장 긴 강 : 미시시피 강 6,210㎞

세계에서 가장 큰 테마파크 :
플로리다 주에 있는 디즈니월드. 해마다 관람객이 수백만 명이나 된다.

남동부에 있는 주들

노스캐롤라이나 주
주도 : 롤리
면적 : 139,509㎢
인구 : 10,611,000명

루이지애나 주
주도 : 배턴루지
면적 : 135,382㎢
인구 : 4,645,000명

미시시피 주
주도 : 잭슨
면적 : 125,443㎢
인구 : 2,989,000명

사우스캐롤라이나 주
주도 : 콜럼비아
면적 : 82,931.8㎢
인구 : 5,210,000명

아칸소 주
주도 : 리틀록
면적 : 137,000㎢
인구 : 3,038,000명

앨라배마 주
주도 : 몽고메리
면적 : 135,765㎢
인구 : 4,908,000명

조지아 주
주도 : 애틀랜타
면적 : 153,909㎢
인구 : 10,736,000명

테네시 주
주도 : 내쉬빌
면적 : 109,247㎢
인구 : 6,897,000명

텍사스 주
주도 : 오스틴
면적 : 696,241㎢
인구 : 29,472,000명

플로리다 주
주도 : 탤러해시
면적 : 170,304㎢
인구 : 21,992,000명

텍사스 주는 카우보이가 말을 타고 소 떼를 모는 큰 목장으로 유명하다

서부에 있는 주들

The Western States

미국의 서부는 로키 산맥으로부터 시작된다. 이곳은 산, 사막, 계곡 등으로 이루어져 지형이 험하다. 초기의 식민지 개척자들은 이 험한 지역을 마차를 타고 다녔지만, 19세기 중반 서부 시대가 열리면서 철도가 놓였다.

태평양 연안의 캘리포니아 주는 에스파냐의 식민지 개척자들에 의해 세워졌다. 지금은 미국의 주들 가운데 인구가 가장 많다. 지각의 두 부분이 서로 다른 방향으로 움직이는 산안드레아스 단층 위에 있어서 지진이 자주 일어나지만, 중앙의 계곡에는 미국에서 가장 기름진 농업 지대가 있다.

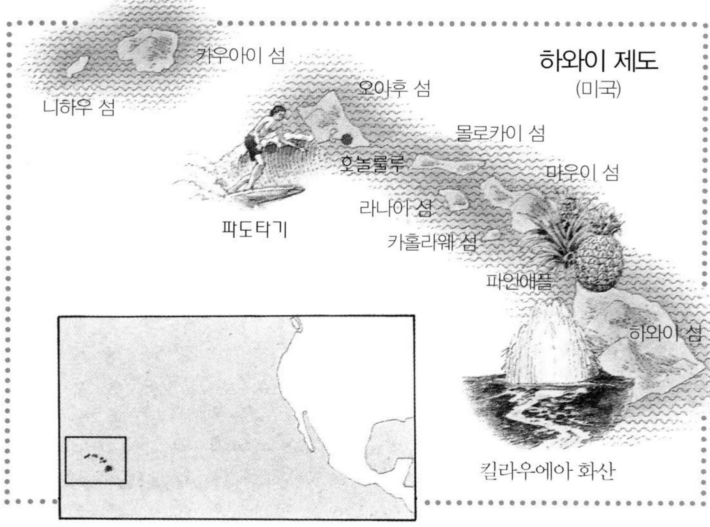

하와이 제도
(미국)

샌프란시스코–태평양 연안의 항구 도시

샌프란시스코는 1850년대에 많은 사람들이 금을 찾기 위해 캘리포니아로 몰려들면서 빠르게 발전했다. 1906년에는 대지진이 일어나 도시의 대부분이 파괴되기도 했다.

골든게이트 브리지 (금문교)
태멀파이스 산
앨커트래즈 섬
베이 브리지

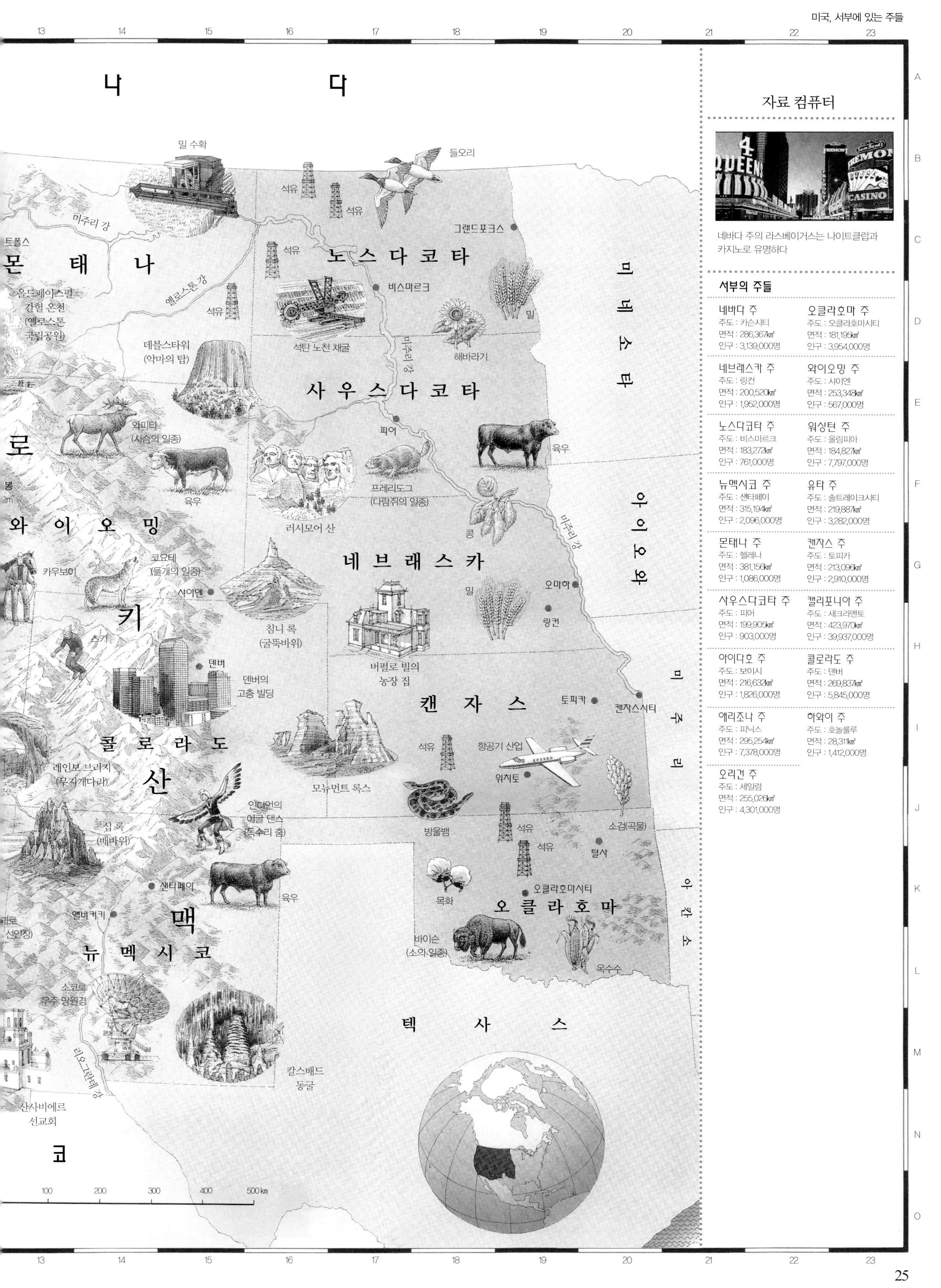

자료 컴퓨터

네바다 주의 라스베이거스는 나이트클럽과 카지노로 유명하다

서부의 주들

네바다 주
주도 : 카슨시티
면적 : 286,367㎢
인구 : 3,139,000명

오클라호마 주
주도 : 오클라호마시티
면적 : 181,195㎢
인구 : 3,954,000명

네브래스카 주
주도 : 링컨
면적 : 200,520㎢
인구 : 1,952,000명

와이오밍 주
주도 : 샤이엔
면적 : 253,348㎢
인구 : 567,000명

노스다코타 주
주도 : 비스마르크
면적 : 183,272㎢
인구 : 761,000명

워싱턴 주
주도 : 올림피아
면적 : 184,827㎢
인구 : 7,797,000명

뉴멕시코 주
주도 : 샌타페이
면적 : 315,194㎢
인구 : 2,096,000명

유타 주
주도 : 솔트레이크시티
면적 : 219,887㎢
인구 : 3,282,000명

몬태나 주
주도 : 헬레나
면적 : 381,156㎢
인구 : 1,086,000명

캔자스 주
주도 : 토피카
면적 : 213,096㎢
인구 : 2,910,000명

사우스다코타 주
주도 : 피어
면적 : 199,905㎢
인구 : 903,000명

캘리포니아 주
주도 : 새크라멘토
면적 : 423,970㎢
인구 : 39,937,000명

아이다호 주
주도 : 보이시
면적 : 216,632㎢
인구 : 1,826,000명

콜로라도 주
주도 : 덴버
면적 : 269,837㎢
인구 : 5,845,000명

애리조나 주
주도 : 피닉스
면적 : 295,254㎢
인구 : 7,378,000명

하와이 주
주도 : 호놀룰루
면적 : 28,311㎢
인구 : 1,412,000명

오리건 주
주도 : 세일럼
면적 : 255,026㎢
인구 : 4,301,000명

멕시코, 중앙아메리카, 서인도 제도

Mexico, Central America, and the Caribbean

중앙아메리카는 남북아메리카를 잇는 좁은 지대이다. 나라들은 서로 다른 문화와 복잡한 역사가 흥미 있게 혼합되어 있다. 특히 세계에서 인구가 가장 많은 도시인 멕시코시티는 아스테카 문명 시대의 수도였던 테노치티틀란에 자리하고 있다. 중앙아메리카 북쪽에는 멕시코가 있고, 동쪽의 카리브 해에는 서인도 제도라는 수백 개의 섬이 있다. 16세기, 서인도 제도의 섬들은 유럽인들에 의해 식민지화되었다. 당시 농장의 일꾼으로 쓰기 위해 잡혀 온 흑인 노예들이 많아 지금의 주민은 혼혈이 대부분이다. 언어는 영어, 에스파냐어, 그리고 '패트와' 라는 사투리를 쓴다. 패트와는 아프리카어와 프랑스어, 또는 아프리카어와 영어가 섞인 말이다. 다양한 문화만큼 중앙아메리카의 기후와 식물 또한 지역마다 커다란 차이를 보인다. 때때로 허리케인이라는 거대한 열대성 폭풍이 불어 와 잔잔한 카리브 해를 뒤엎는다. 시속 160km가 넘는 바람과 커다란 파도가 엄청난 피해를 준다. 대서양과 태평양을 잇는 길이 82km의 파나마 운하가 세계적으로 유명하다.

테오티와칸

테오티와칸('신들의 도시' 라는 뜻)은 고대 멕시코 문명 시대의 수도였다. 가장 번성했던 서기 600년경에는 인구가 12만 명이 넘었고, 면적도 20km²가 넘었다. 길은 바둑판무늬처럼 나 있었고, 신전과 궁전, 2만여 채의 집이 길가에 줄지어 서 있었다. 도시 한가운데에는 멕시코의 고대 종교 중심지였던 태양의 피라미드가 지금도 웅장한 모습을 자랑하고 있다. 그러나 이 도시는 서기 750년경에 침입자들에 의해 파괴되어 버렸다.

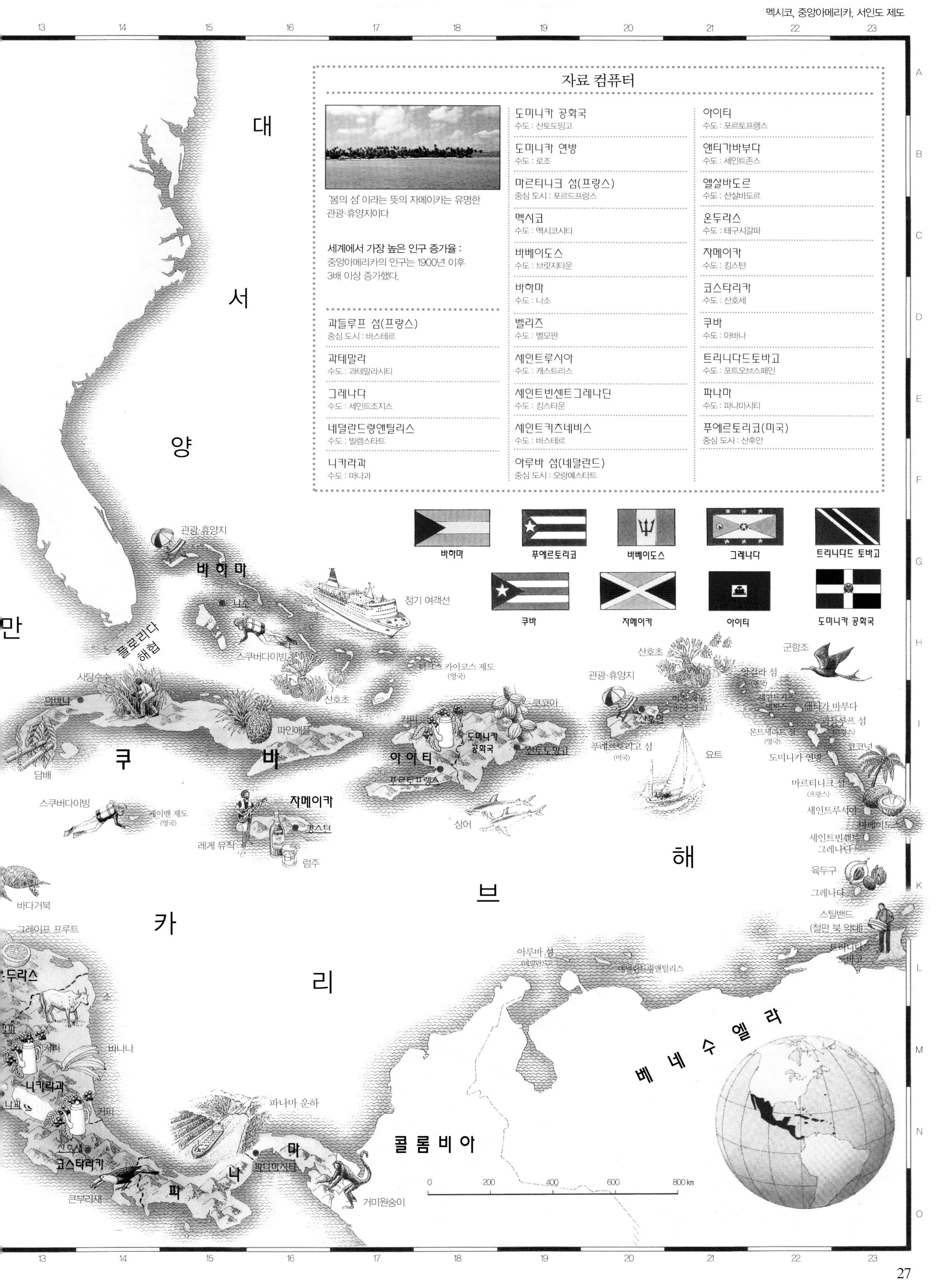
자료 컴퓨터
'봄의 섬' 이라는 뜻의 자메이카는 유명한 관광·휴양지이다
세계에서 가장 높은 인구 증가율 : 중앙아메리카의 인구는 1900년 이후 3배 이상 증가했다.
과들루프 섬(프랑스)
중심 도시 : 바스테르
과테말라
수도 : 과테말라시티
그레나다
수도 : 세인트조지스
네덜란드령앤틸리스
수도 : 빌렘스타트
니카라과
수도 : 마나과
도미니카 공화국
수도 : 산토도밍고
도미니카 연방
수도 : 로조
마르티니크 섬(프랑스)
중심 도시 : 포르드프랑스
멕시코
수도 : 멕시코시티
바베이도스
수도 : 브릿지타운
바하마
수도 : 나소
벨리즈
수도 : 벨모판
세인트루시아
수도 : 캐스트리스
세인트빈센트그레나딘
수도 : 킹스타운
세인트키츠네비스
수도 : 바스테르
아루바 섬(네덜란드)
중심 도시 : 오랑예스타트
아이티
수도 : 포르토프랭스
앤티가바부다
수도 : 세인트존스
엘살바도르
수도 : 산살바도르
온두라스
수도 : 테구시갈파
자메이카
수도 : 킹스턴
코스타리카
수도 : 산호세
쿠바
수도 : 아바나
트리니다드토바고
수도 : 포트오브스페인
파나마
수도 : 파나마시티
푸에르토리코(미국)
중심 도시 : 산후안
바하마
푸에르토리코
바베이도스
그레나다
트리니다드 토바고
쿠바
자메이카
아이티
도미니카 공화국
대서양
만
카리브해
쿠바
바하마
나소
아바나
자메이카
킹스턴
아이티
포르토프랭스
도미니카 공화국
산토도밍고
산후안
푸에르토리코 섬
(미국)
콜롬비아
베네수엘라
파나마
파나마시티
파나마 운하
코스타리카
산호세
니카라과
온두라스
플로리다 해협
관광·휴양지
정기 여객선
스쿠버다이빙
사탕수수
산호초
파인애플
담배
커피
코코아
요트
상어
레게 뮤직
럼주
바다거북
그레이프 프루트
소
바나나
큰부리새
거미원숭이
케이맨 제도
(영국)
터크스 카이코스 제도
(영국)
군함조
앤티가 바부다
과들루프 섬
몬트세라트 섬
(영국)
도미니카 연방
코코넛
마르티니크 섬
(프랑스)
세인트루시아
바베이도스
육두구
그레나다
스틸밴드
(철판 북 악대)
트리니다드 토바고
아루바 섬
네덜란드령앤틸리스
0
200
400
600
800 km

남아메리카 *South America*

페루 마추픽추의 고대 잉카 도시 유적

남아메리카 대륙은 거대한 산맥과 울창한 숲, 넓은 평원과 사막으로 이루어져 있다. 대륙의 서부에는 안데스 산맥의 눈 덮인 봉우리들이 남북으로 이어져 있고, 산맥을 따라 수백 개의 화산이 있다. 세계에서 가장 큰 강인 아마존 강이 안데스 산맥에서 발원한다. 대륙의 남동쪽에는 넓고 기름진 초원 팜파스가 있어 소 사육과 밀 재배가 대규모로 이루어지고 있다. 그 남쪽에는 파타고니아 지방의 사막 지대가 펼쳐져 있고, 남쪽 끝에는 혼 곶이 있다. 이곳은 일 년 내내 폭풍이 몰아쳐 몇 세기 동안 항해자들이 두려워했다. 1498년, 크리스토퍼 콜럼버스가 유럽인으로서는 최초로 남아메리카 해안을 발견했다. 유럽인들은 재빨리 이 대륙을 식민지로 만들었다. 그리고 19세기 초까지 남아메리카는 에스파냐와 포르투갈의 지배를 받다가 1816년, 아르헨티나를 시작으로 독립했다. 남아메리카 사람들은 아메리카 인디언(인디오), 유럽인, 아프리카 사람들의 후손이다. 포르투갈어를 쓰는 브라질 외에는 주로 에스파냐어(스페인어)를 쓰고 있고, 많은 인디오 부족들은 자기네 언어를 가지고 있다. 남아메리카는 석유, 금, 은, 구리, 철, 주석, 납 등 지하자원이 풍부하다. 하지만 인구의 절반이 농사를 지으며 살아간다. 커피, 사탕수수, 밀 등을 재배하는 큰 농장도 있지만, 대부분의 농민들은 가족이 겨우 먹고 살 만큼의 콩과 옥수수를 재배하고 있다.

민족의상을 입은 페루 사람들

아마존 강 유역에 있는 제재소

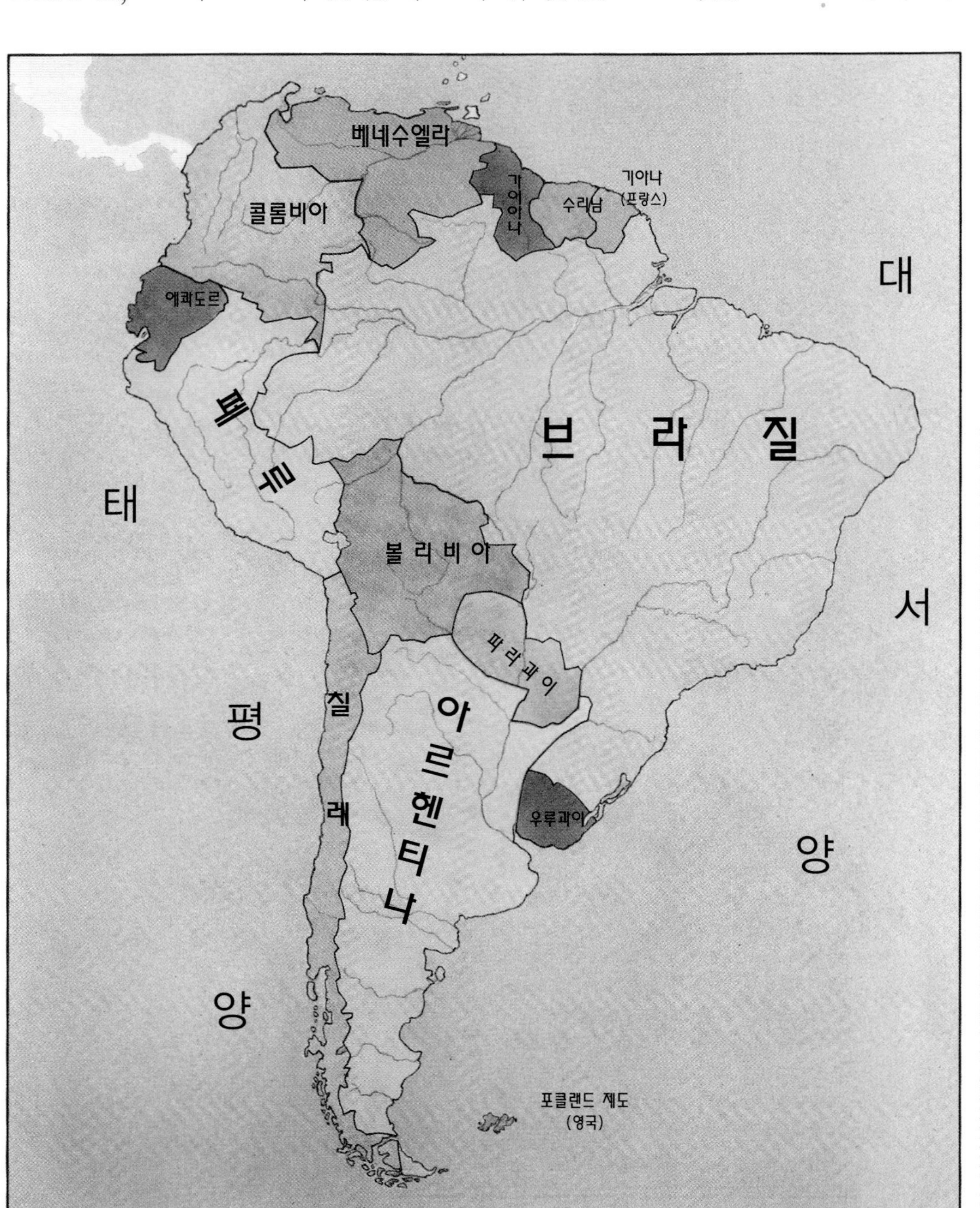

자료 컴퓨터

면적 : 17,840,000㎢

인구 : 430,760,000명

독립 국가 수 : 12개국

면적이 넓은 나라 : 브라질 8,511,965㎢
아르헨티나 2,766,890㎢

인구가 많은 나라 : 브라질 212,559,000명
아르헨티나 45,195,000명

큰 도시와 인구 :
상파울루(브라질) 10,021,000명
리우데자네이루(브라질) 6,023,000명
부에노스아이레스(아르헨티나) 2,890,000명

높은 산 : 아콩카과 산(아르헨티나, 세계에서 가장 높은 사화산) 6,959m
오호스델살라도 산(아르헨티나–칠레, 세계에서 가장 높은 활화산) 6,880m
세로보네테 산(아르헨티나) 6,759m

긴 강 : 아마존 강 7,062km
파라나 강 3,299km, 마데이라 강 3,240km
푸루스 강 3,210km, 상프란시스코 강 3,160km

주요 사막 :
아타카마 사막(칠레) 약 132,000㎢
파타고니아 사막(아르헨티나) 약 770,000㎢

가장 넓은 삼림 지대 :
아마존 분지 7,000,000㎢

가장 큰 섬 :
푸에고 섬(칠레–아르헨티나) 47,000㎢

가장 큰 호수 :
티티카카 호(페루–볼리비아) 8,135㎢

세계에서 가장 비가 많이 오는 곳 :
투투넨도(콜롬비아). 연평균 강우량이 11,770㎜나 됨.

세계에서 가장 건조한 곳 :
아타카마 사막(칠레). 연평균 강우량이 0㎜인 곳도 있음. 1971년, 400년 만에 비가 내렸음.

세계에서 가장 높은 폭포 :
앙헬 폭포(베네수엘라). 979m
카로니 강에 있음.

세계에서 가장 큰 속호(모래톱 따위가 육지 쪽 바다의 한 부분을 막아 이루어진 작은 호수) **:**
파토스 호(브라질) 10,645㎢

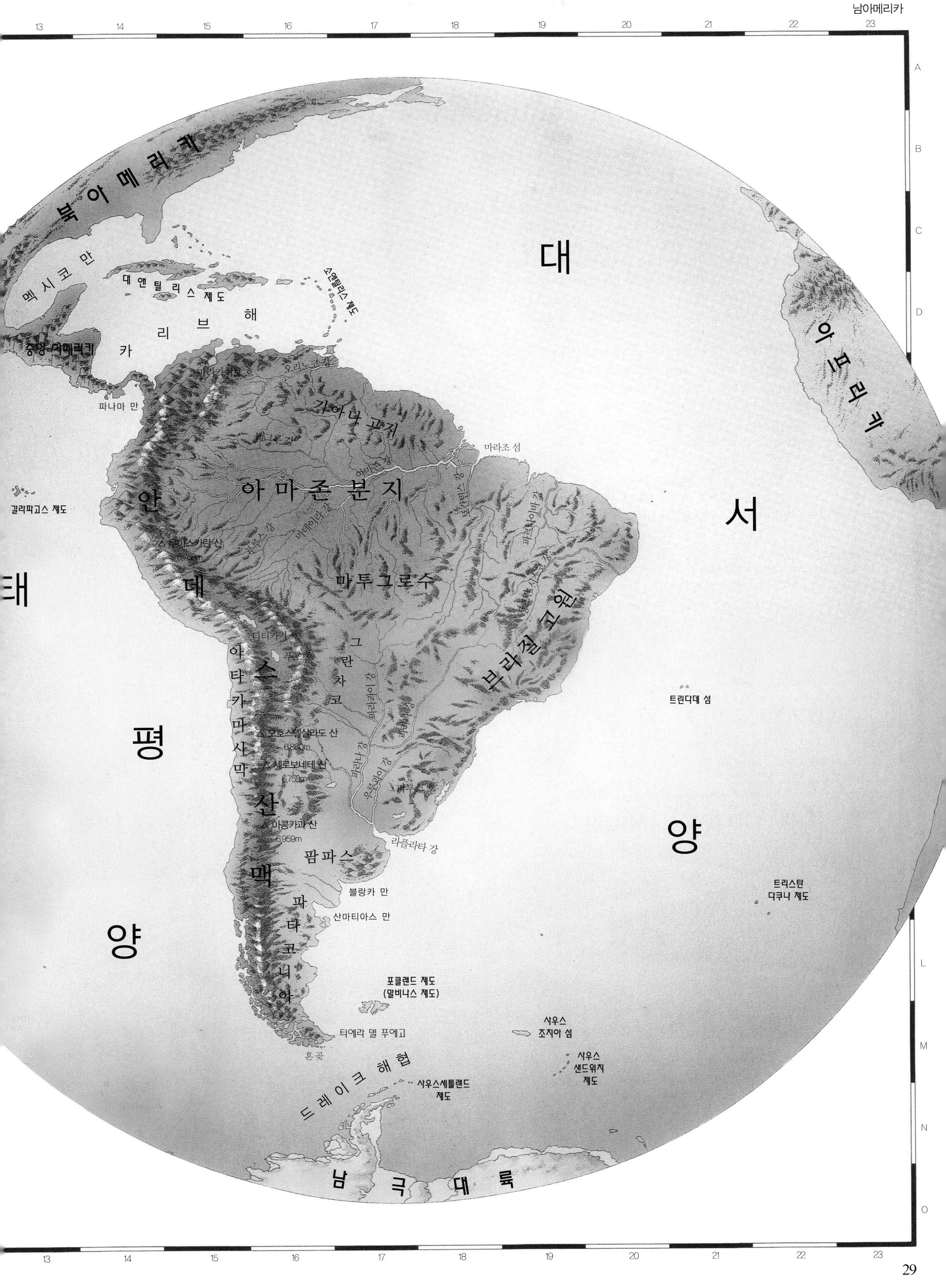
북아메리카
멕시코 만
대앤틸리스 제도
소앤틸리스 제도
카리브해
중앙 아메리카
파나마 만
오리노코 강
가이아나 고지
마라조 섬
아마존 강
아마존 분지
갈라파고스 제도
안데스산맥
마투그로수
브라질고원
그란차코
아타카마사막
티티카카 호
오호스델살라도 산
6,880m
세로보네테 산
6,759m
아콩카과 산
6,959m
파라나 강
우루과이 강
라플라타 강
팜파스
블랑카 만
산마티아스 만
파타고니아
포클랜드 제도
(말비나스 제도)
티에라 델 푸에고
혼곶
사우스
조지아 섬
사우스
샌드위치
제도
사우스셰틀랜드
제도
드레이크 해협
남극대륙
태평양
대서양
트린다데 섬
트리스탄
다쿠냐 제도
아프리카

남아메리카 북부

Northern South America

북부에는 광대한 아마존 열대 우림과 높은 안데스 산맥이 있다. 열대 우림을 흐르고 있는 아마존 강은 세계에서 가장 긴 강이다. 페루의 안데스에서 발원하여 브라질 북부의 하구까지 7,062㎞를 흐르면서 한 시간에 평균 7,730억ℓ의 물을 대서양으로 흘려보낸다. 페루의 안데스 지역은 15세기와 16세기에 번영을 누린 대잉카 제국의 중심지였다. 잉카인들은 험한 산지에 도로를 만들고 운하를 팠다. 그들은 훌륭한 과학자, 능숙한 숙련공, 농민이기도 했다. 그러나 1532~33년, 프란시스코 피사로가 이끈 에스파냐의 정복자들에 의해 멸망했다. 브라질은 남아메리카에서 가장 넓고 인구가 가장 많은 나라이다. 상파울루, 리우데자네이루 등 남동부의 인구 과밀 도시에서는 많은 빈민들이 '파벨라' 라는 빈민가에서 살고 있다. 몇몇 나라들은 독재자의 지배를 받고 있으며, 관광이 주요한 수입원이 되고 있다.

아마존 열대 우림

아마존 열대 우림은 수천 년 동안 인디오 부족들의 고향이었다. 그리고 세계 동식물 종류의 5분의 1 이상이 살고 있어 '지구의 폐' 라고 불린다. 그러나 농지 개간과 광물 채광을 위한 무분별한 벌목으로 해마다 상당한 규모의 열대우림이 사라지고 있다. 그 영향으로 동식물이 멸종되고 있다.

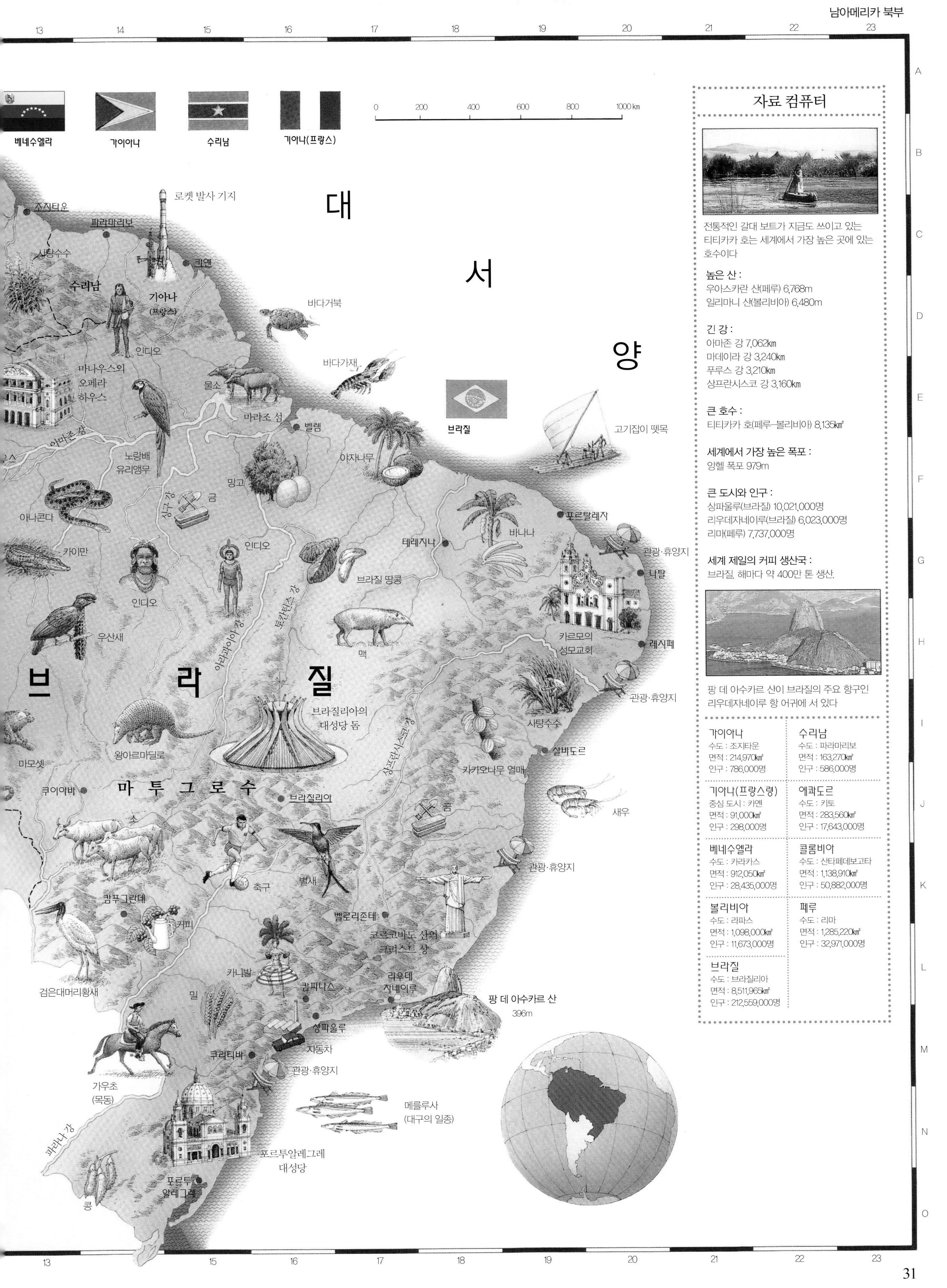

베네수엘라
가이아나
수리남
기아나(프랑스)
0 200 400 600 800 1000km
대서양
브라질
마투그로수
조지타운
파라마리보
사탕수수
수리남
카옌
로켓 발사 기지
기아나
(프랑스)
바다거북
인디오
마나우스의
오페라
하우스
바다가재
물소
마라조 섬
벨렘
아마존 강
노랑배
유리앵무
야자나무
망고
싱구 강
금
아나콘다
카이만
인디오
테레지나
바나나
포르탈레자
관광·휴양지
나탈
브라질 땅콩
인디오
우산새
아라과이아 강
토칸틴스 강
맥
카르모의
성모교회
레시페
관광·휴양지
브라질리아의
대성당 돔
사탕수수
왕아르마딜로
상프란시스코 강
살바도르
마모셋
카카오나무 열매
쿠이아바
브라질리아
소
새우
금
관광·휴양지
축구
벌새
캄푸그란데
커피
벨로리존테
코르코바도 산의
그리스도 상
검은대머리황새
카니발
캄피나스
리우데
자네이루
팡 데 아수카르 산
396m
밀
상파울루
자동차
쿠리티바
관광·휴양지
가우초
(목동)
메를루사
(대구의 일종)
파라나 강
포르투알레그레
대성당
포르투
알레그레
콩
고기잡이 뗏목
자료 컴퓨터
전통적인 갈대 보트가 지금도 쓰이고 있는 티티카카 호는 세계에서 가장 높은 곳에 있는 호수이다
높은 산 :
우아스카란 산(페루) 6,768m
일리마니 산(볼리비아) 6,480m
긴 강 :
아마존 강 7,062km
마데이라 강 3,240km
푸루스 강 3,210km
상프란시스코 강 3,160km
큰 호수 :
티티카카 호(페루-볼리비아) 8,135km²
세계에서 가장 높은 폭포 :
앙헬 폭포 979m
큰 도시와 인구 :
상파울루(브라질) 10,021,000명
리우데자네이루(브라질) 6,023,000명
리마(페루) 7,737,000명
세계 제일의 커피 생산국 :
브라질, 해마다 약 400만 톤 생산.
팡 데 아수카르 산이 브라질의 주요 항구인 리우데자네이루 항 어귀에 서 있다
가이아나
수도 : 조지타운
면적 : 214,970km²
인구 : 786,000명
수리남
수도 : 파라마리보
면적 : 163,270km²
인구 : 586,000명
기아나(프랑스령)
중심 도시 : 카옌
면적 : 91,000km²
인구 : 298,000명
에콰도르
수도 : 키토
면적 : 283,560km²
인구 : 17,643,000명
베네수엘라
수도 : 카라카스
면적 : 912,050km²
인구 : 28,435,000명
콜롬비아
수도 : 산타페데보고타
면적 : 1,138,910km²
인구 : 50,882,000명
볼리비아
수도 : 라파스
면적 : 1,098,000km²
인구 : 11,673,000명
페루
수도 : 리마
면적 : 1,285,220km²
인구 : 32,971,000명
브라질
수도 : 브라질리아
면적 : 8,511,965km²
인구 : 212,559,000명

남아메리카 남부

Southern South America

아르헨티나와 칠레가 남아메리카 남부 대부분을 차지하고 있다. 아르헨티나는 안데스 산맥, 삼림 지대, 초원, 그리고 일 년 내내 강풍이 휘몰아치는 불모의 파타고니아 지방 등 매우 다양한 지형으로 이루어졌다. 석유, 천연 가스, 석탄, 철광석 등 지하자원이 풍부하지만, 가장 중요한 자원은 소를 기를 수 있는 기름진 초원 팜파스이다. 아르헨티나는 세계 주요 쇠고기 수출국 중 하나이다.

칠레는 북쪽에 있는 페루와의 국경에서부터 남쪽의 푼타아레나스까지 길이가 약 4,200km나 되는 가늘고 긴 나라이다. 때문에 북쪽의 아타카마 사막부터 남쪽의 얼음과 빙하에 이르기까지 다양한 기후를 나타내고 있다. 안데스 산맥에 의해 다른 나라들과 떨어져 있는 칠레에는 구리, 철광석, 초석 등 광물 자원이 풍부하다.

파라과이와 우루과이의 국민 대부분은 목축을 해 생활하고 있다. 파라과이는 세계에서 매우 가난한 나라 중 하나이다. 영국 영토인 포클랜드 제도는 아르헨티나의 해안에서 약 50km 떨어진 대서양에 있다. 그래서 아르헨티나가 이 제도를

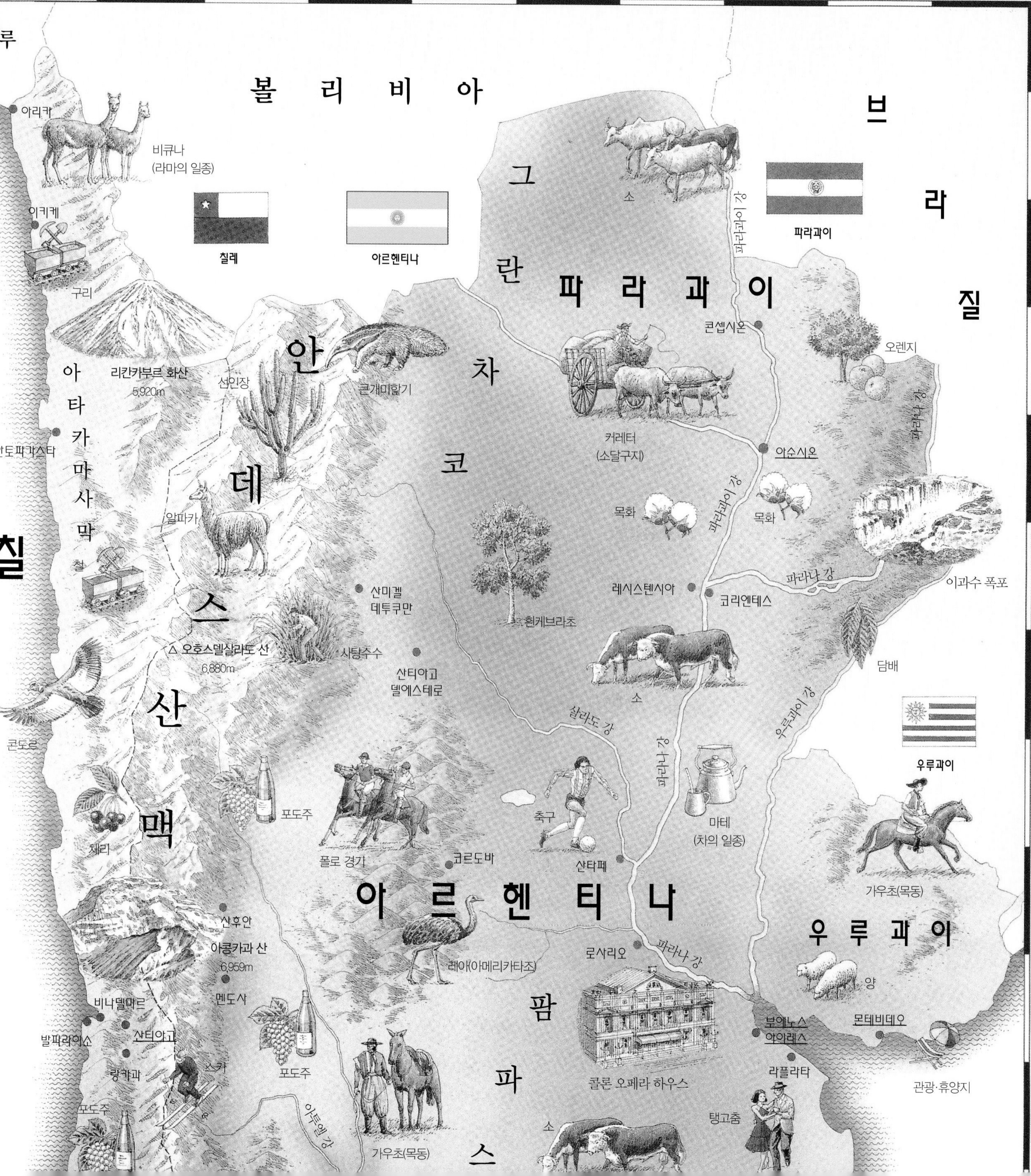

 *초6 사회 함께 살아가는 세계·중1 사회 아메리카 및 오세아니아의 생활·중2 사회 서양 근대사회의 발전과 변화·고등 세계지리 라틴아메리카

'말비나스 제도'라고 부르며 영유권을 주장해 영국과 전쟁이 일어나기도 했다. 대부분 양을 쳐서 살아가며, 섬들 주위에는 풍부한 어장과 석유 비축 기지가 있다.

자료 컴퓨터

칠레의 춘가라 호 근처에 있는 파리나코타 산은 안데스 산맥의 활화산 가운데 하나이다

'가우초'는 팜파스의 큰 목장에서 소 떼를 지키는 남아메리카의 카우보이이다

높은 산 :
아콩카과 산(아르헨티나) 6,959m
오호스델살라도 산(아르헨티나–칠레) 6,880m

긴 강 : 파라나 강 3,299㎞

큰 도시와 인구 :
산티아고(칠레) 4,837,000명
부에노스아이레스(아르헨티나) 2,890,000명, 13,076,000명(메트로)
몬테비데오(우루과이) 1,270,000명
코르도바(아르헨티나) 1,428,000명
로사리오(아르헨티나) 1,173,000명
아순시온(파라과이) 1,482,000명

큰 섬 :
푸에고 섬(아르헨티나–칠레) 47,992㎢

칠레에 있는 아타카마 사막의 일부에는 400년 이상 비가 내리지 않았다

아르헨티나
수도 : 부에노스아이레스
면적 : 2,766,890㎢
인구 : 45,195,000명
언어 : 에스파냐어
종교 : 크리스트교

파라과이
수도 : 아순시온
면적 : 406,750㎢
인구 : 7,132,000명
언어 : 에스파냐어, 과라니어
종교 : 크리스트교

우루과이
수도 : 몬테비데오
면적 : 176,220㎢
인구 : 3,473,000명
언어 : 에스파냐어
종교 : 크리스트교

포클랜드 제도(영국) (말비나스 제도)
중심 도시 : 스탠리
면적 : 12,170㎢
인구 : 3,480명
언어 : 영어
종교 : 크리스트교

칠레
수도 : 산티아고
면적 : 756,950㎢
인구 : 19,116,000명
언어 : 에스파냐어
종교 : 크리스트교

안데스 산맥

안데스는 북쪽의 카리브 해 연안에서 남쪽의 혼 곶까지 약 7,000km나 뻗어 있다. 세계에서 가장 긴 이 산맥은 지구상에서 가장 나중에 이루어진 산지이다. 잦은 화산 폭발과 지진은 이 지역의 지각이 아직도 움직이고 있다는 사실을 보여준다.

유럽 *Europe*

벨기에 브뤼셀에 있는 EC(유럽공동체) 본부

프랑스 라벤더 밭

유럽의 북쪽과 서쪽은 북극해와 대서양에, 남쪽은 지중해에 닿아 있다. 7대륙 가운데 두 번째로 면적이 작지만, 인구는 아시아 다음으로 많다. 유럽의 주요부는 서유럽의 알프스 산맥에 의해 남북으로 나뉘어 있다. 북유럽에는 대서양 연안에서 우랄 산맥까지 가로지른 평원이 넓게 펼쳐져 있고, 대륙의 먼 북쪽에는 스칸디나비아 반도의 산악 국가들이 있다. 구릉과 산지가 많은 남유럽은 역사적으로 지중해의 영향을 많이 받았다. 지중해가 여러 세기 동안 유럽, 아프리카, 아시아를 잇는 중요한 무역로였기 때문이다. 1945년, 제2차 세계대전이 끝난 뒤 유럽은 서유럽과 동유럽으로 나누어졌다. 두 진영의 경계는 사람들이 자유롭게 넘나들 수 없어서 '철의 장막'이라고 불리기도 했다. 1980년대 말까지 동유럽 국가들(루마니아, 폴란드, 유고슬라비아, 체코슬로바키아, 헝가리, 불가리아, 알바니아, 동독)은 소련으로 대표되는 공산주의 정권의 지배를 받았다. 그러나 90년대에 많은 국가들이 공산주의를 포기하면서 새로운 나라들이 생겼다. 동독과 서독은 1990년에 통일되었고, 라트비아, 리투아니아, 에스토니아, 벨로루시, 우크라이나, 몰도바가 독립했다. 유고슬라비아를 구성하고 있던 여섯 개 공화국 중 크로아티아, 슬로베니아, 보스니아-헤르체고비나, 마케도니아는 1992년에 떨어져 나갔고, 세르비아, 몬테네그로도 2006년 독립하면서 유고슬라비아는 역사 속으로 사라졌다. 체코슬로바키아는 1993년, 체코와 슬로바키아로 분리되었다. 18세기와 19세기에 세계 최초로 산업 혁명을 일으킨 서유럽 국가들은 세계에서 가장 부유하다. 지금도 농업으로 생계를 꾸려가는 사람들이 많지만, 서유럽의 경제는 공업이 중심이다. 1967년에는 네덜란드, 벨기에, 룩셈부르크, 서독, 프랑스, 이탈리아가 모여 경제와 정치 통합을 목적으로 유럽공동체(EC)를 결성했다. 2007년 현재는 27개국이 가입되어 있다.

몬테네그로의 야채시장

유럽 자료 컴퓨터

면적 : 10,180,000㎢. 세계 육지의 7%.

인구 : 747,636,000명(유럽에 속하는 러시아 인구 포함) 세계 인구의 약 14%

독립국 수 :
44개국(3%가 유럽에 속하는 터키와 28%가 속하는 러시아도 포함)

면적이 넓은 나라 :
러시아. 유럽에 속하는 부분만도 4,551,000㎢이지만, 러시아 전체 면적의 28%에 불과함. 프랑스 551,500㎢

인구가 많은 나라 :
러시아 145,934,000명.
독일 83,783,000명

큰 도시와 인구 :
모스크바(러시아) 10,381,000명
런던(영국) 7,556,000명
상트페테르부르크(러시아) 5,028,000명
베를린(독일) 3,426,000명
파리(프랑스) 2,138,000명

높은 산 :
엘브루스 산(러시아) 5,633m
몽블랑 산(프랑스-이탈리아) 4,807m
몬테로사 산(이탈리아-스위스) 4,634m

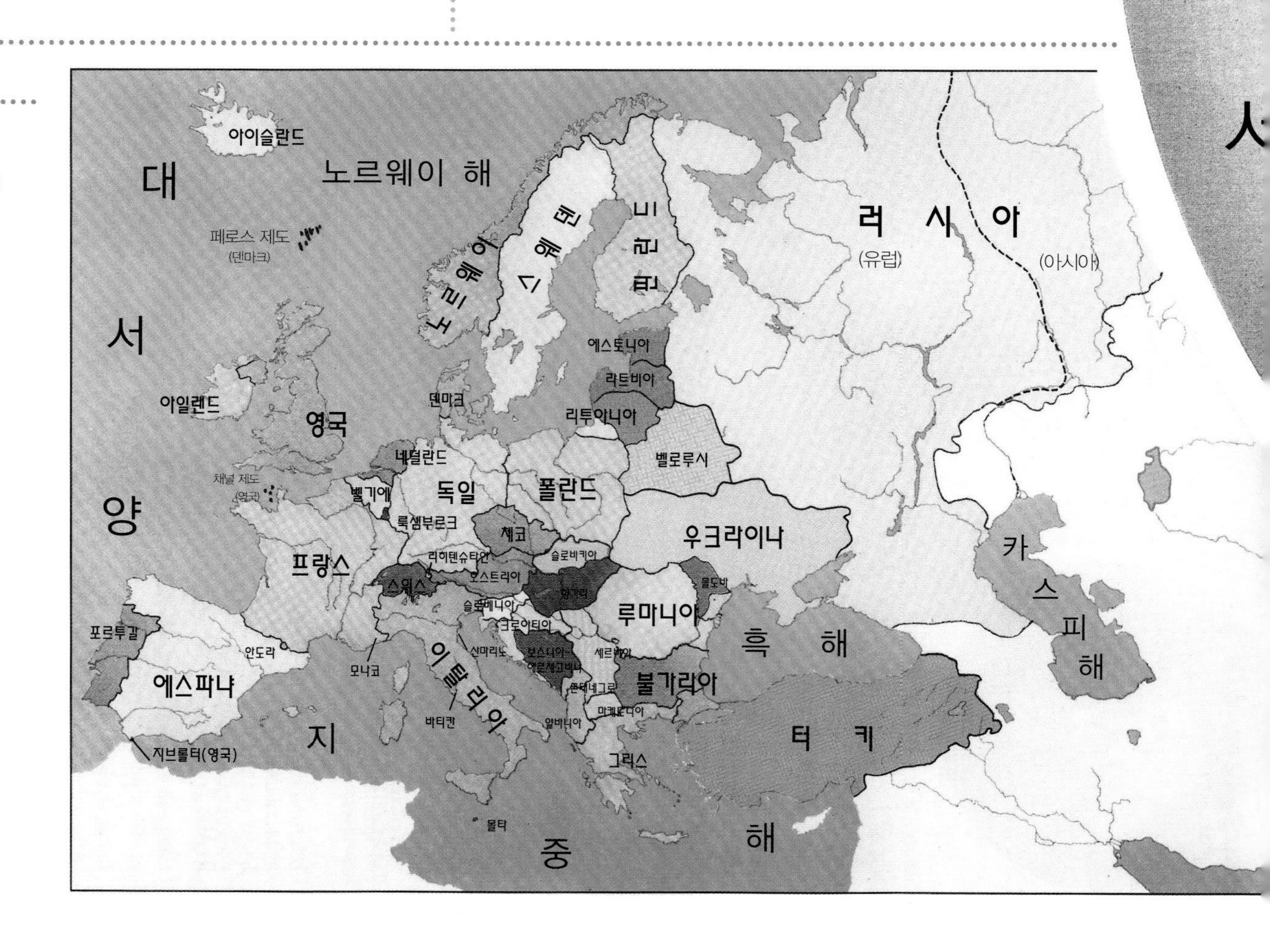

 *초6 사회 함께 살아가는 세계·중1 사회 자연 환경과 문화가 다양한 유럽·중2 사회 서양 근대사회의 발전과 변화, 현대 세계의 전개·고등 세계지리 유럽 연합,

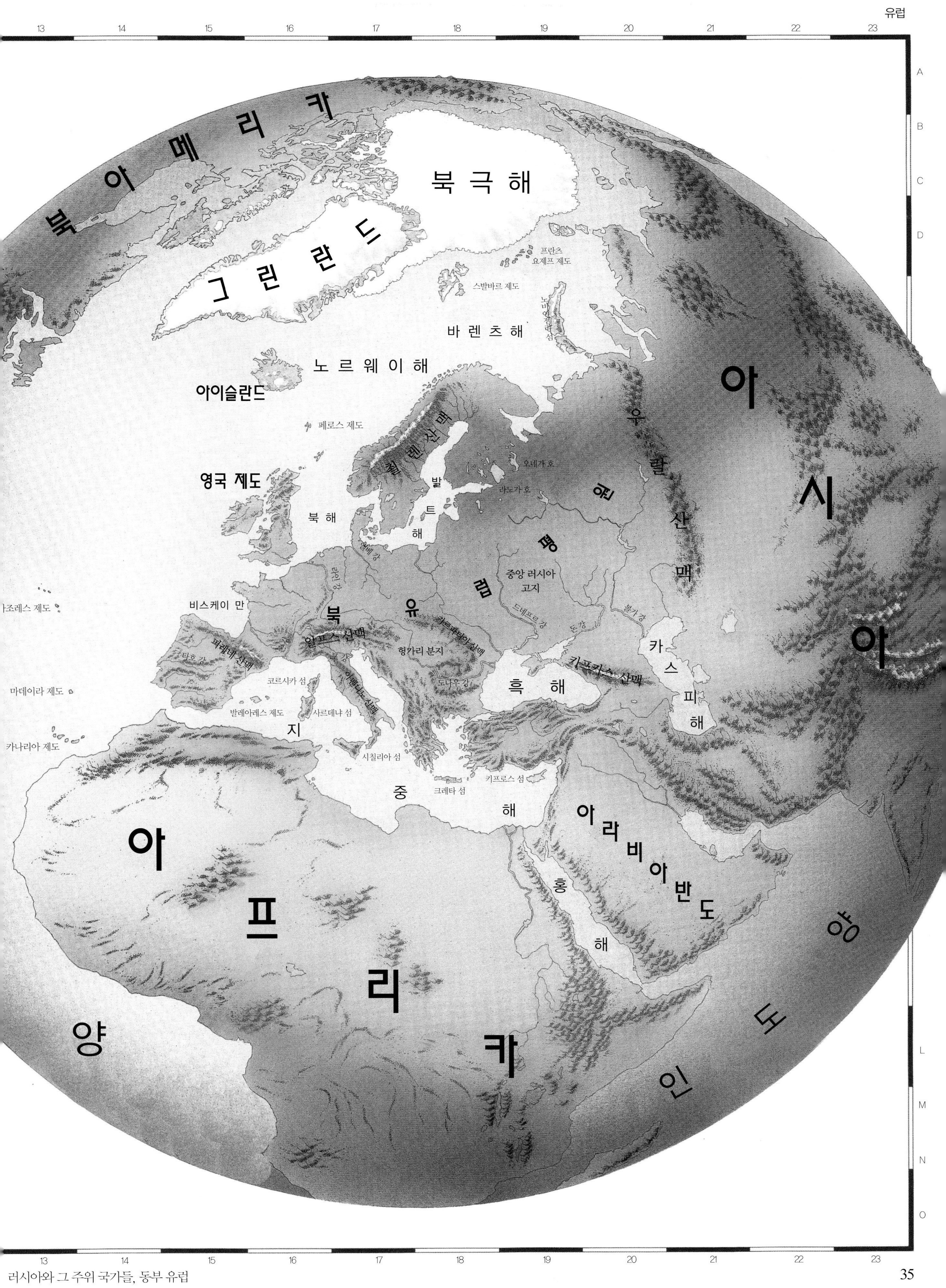
북아메리카
북극해
그린란드
프란츠 요제프 제도
스발바르 제도
노바야젬랴 섬
바렌츠해
노르웨이해
아이슬란드
페로스 제도
영국 제도
북해
발트해
오네가 호
라도가 호
동유럽 평원
중앙 러시아 고지
우랄 산맥
아시아
비스케이 만
북유럽
알프스 산맥
카르파티아 산맥
헝가리 분지
드네프르 강
돈 강
볼가 강
카스피해
피레네 산맥
타호 강
코르시카 섬
도나우 강
흑해
캅카스 산맥
마데이라 제도
발레아레스 제도
사르데냐 섬
아펜니노 산맥
카나리아 제도
지중해
시칠리아 섬
키프로스 섬
크레타 섬
아라비아반도
아프리카
홍해
인도양
대서양

영국 제도 The British Isles

그레이트브리튼 섬, 아일랜드 섬과 그 섬들을 둘러싸고 있는 작은 섬들로 이루어진 영국 제도는 영국과 아일랜드로 나뉘어 있다. 그리고 연합 왕국인 영국은 잉글랜드, 웨일스, 스코틀랜드, 북아일랜드로 이루어졌다. 18세기와 19세기에 영국은 세계 최초로 산업 혁명을 일으켜 공업과 무역 강국이 되었다. 이 시기 캐나다, 오스트레일리아, 뉴질랜드, 인도, 아프리카의 여러 지역을 식민지로 개척해 세계의 4분의 1이 넘는 넓은 영토를 얻었다. 20세기에 이르러서야 식민지들 대부분이 독립했다. 영국은 현재 유럽 공동체에 가입되어 있다. 아일랜드는 700여 년간 영국의 지배를 받다가 1921년에 32개 군 중에서 남부의 26개 군이 독립했다. 이후 영국령으로 남게 된 북아일랜드가 소수 가톨릭계 주민에게 심한 차별정책을 취해 신구교파 사이에 분쟁이 일어났다. 북아일랜드 분쟁은 남북 아일랜드의 통일을 주장하는 공화국군에 의해 1980년대 중반까지 계속되었다.

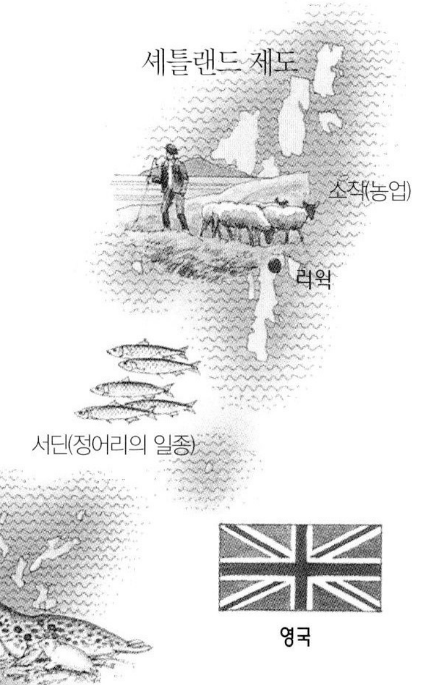

자료 컴퓨터

북웨일스에 있는 스노든 산 일대의 산악 지역은 등산으로 유명하다.

큰 도시와 인구 :
런던(잉글랜드) 7,556,000명
버밍엄(잉글랜드) 984,000명
글래스고(스코틀랜드) 591,000명

높은 산 :
벤네비스 산(스코틀랜드) 1,343m
스노든 산(웨일스) 1,085m

긴 강 : 세번 강(잉글랜드–웨일스) 354㎞
템스 강(잉글랜드) 346㎞

세계에서 가장 긴 다리 :
험버 다리(잉글랜드) 1,410m

영국에서는 옛날부터 교회가 생활의 중심이었다.

영국
수도 : 런던
면적 : 244,820㎢
인구 : 67,686,000명
언어 : 영어
종교 : 크리스트교
통화 : 파운드
정체 : 입헌군주제

북아일랜드
중심 도시 : 벨파스트
면적 : 14,120㎢
인구 : 1,882,000명

스코틀랜드
중심 도시 : 에든버러
면적 : 78,783㎢
인구 : 5,437,000명

웨일스
중심 도시 : 카디프
면적 : 20,798㎢
인구 : 3,136,000명

잉글랜드
중심 도시 : 런던
면적 : 130,439㎢
인구 : 55,980,000명

자료 컴퓨터

아일랜드의 주요 산업은 농업인데, 특히 소와 양을 많이 기른다.

인구가 많은 도시 : 더블린 550,000명, 코크 190,000명, 리머릭 90,000명

가장 높은 산 : 카론투힐 산 1,038m

가장 긴 강 : 섀넌 강 386㎞

아일랜드
수도 : 더블린
면적 : 70,280㎢
인구 : 4,937,000명
언어 : 영어, 아일랜드어
종교 : 크리스트교
통화 : 유로화
정체 : 공화제

*초6 사회 함께 살아가는 세계·중1 사회 자연 환경과 문화가 다양한 유럽·중2 사회 서양 근대사회의 발전과 변화, 현대 세계의 전개·고등 세계지리 유럽 연합

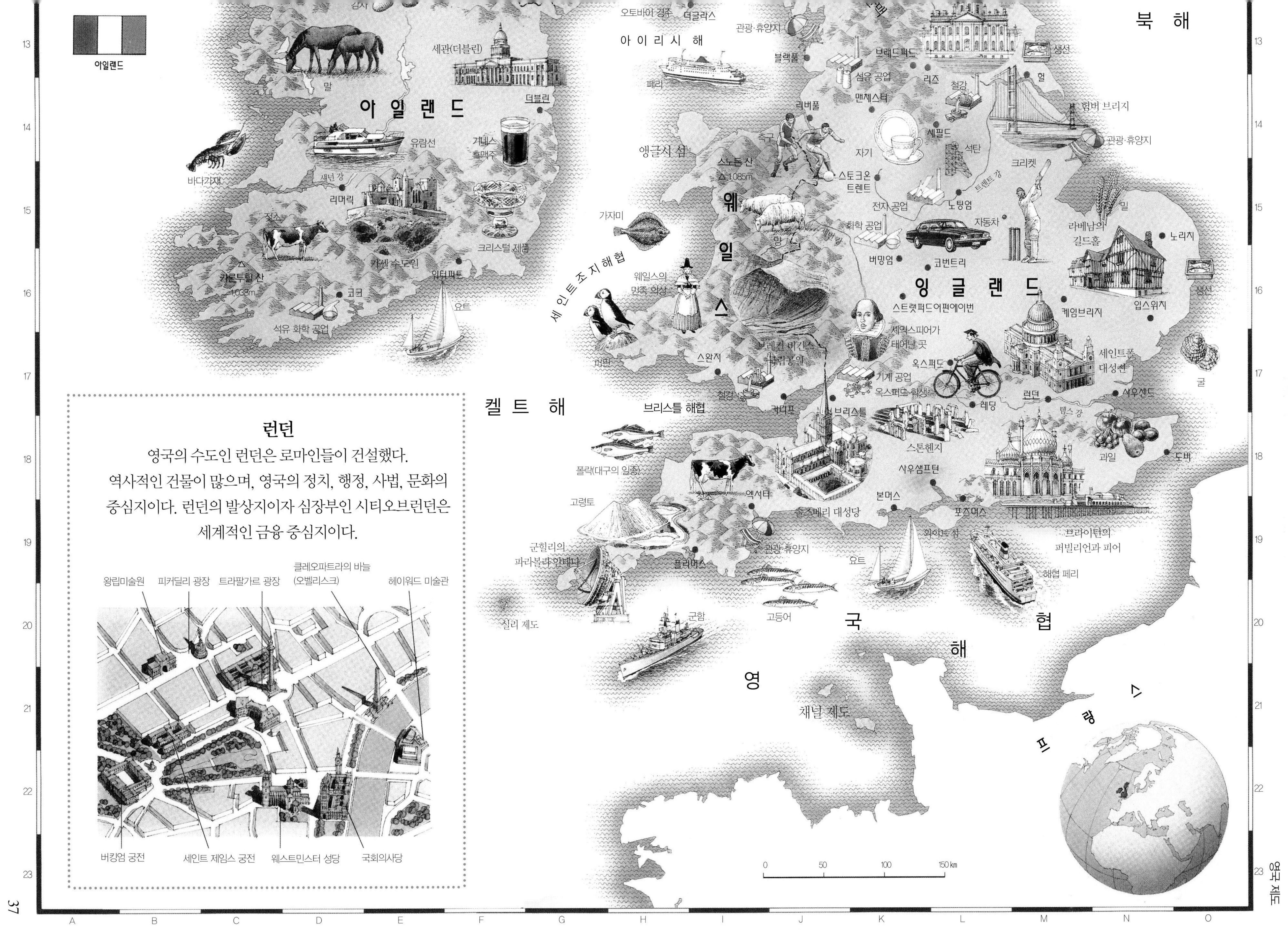

런던

영국의 수도인 런던은 로마인들이 건설했다. 역사적인 건물이 많으며, 영국의 정치, 행정, 사법, 문화의 중심지이다. 런던의 발상지이자 심장부인 시티오브런던은 세계적인 금융 중심지이다.

프랑스 *France*

1789년, 프랑스는 혁명을 일으켜 루이 16세를 왕의 자리에서 내쫓고 나폴레옹이 권력을 잡아 스스로 황제가 되었다. 그는 유럽 대륙의 대부분을 정복했으나 1815년, 워털루 전투에서 패하면서 대서양의 세인트헬레나 섬에 유배, 그곳에서 죽었다. 19세기에는 프랑스의 탐험가들과 군대가 아프리카와 아시아의 여러 지역을 식민지로 만들었다.

포도주로 유명한 프랑스는 지금 유럽의 주요 농공업 국가이다. 주요 농산물은 보리, 귀리, 밀, 아마, 사탕무, 포도 등이고, 낙농업도 활발히 이루어져 700가지가 넘는 치즈를 만들고 있다. 공업 분야에서는 철강, 화학제품, 자동차, 항공기, 섬유 등의 생산이 세계적이다.

프랑스는 무엇보다 자연 경관이 빼어나다. 풍요로운 농업 지대, 덥고 건조한 지역, 눈 덮인 산악 지대, 넓은 숲 등이 다양한 변화를 보인다. 해안에는 많은 관광·휴양지가 있고, 알프스 산지와 피레네 산지는 겨울 스포츠 장소로 유명하다.

영국
영국 해협
페리
조개
채널 제도 (영국)
관광·휴양지
몽생미셸 (수도원)
르아브르
베이유 태피스트리
대서양
게
관광·휴양지
브레스트
캥페르 대성당
어업
칼바도스 (사과 브랜디)
젖소
브르타뉴 사람의 머리 장식
렌
르망
캥페르
선돌 (가르나크)
테제베(TGV) (고속 열차)
군함
루아르 강
낭트
뱀장어
고등어
슈농소 성
프랑스

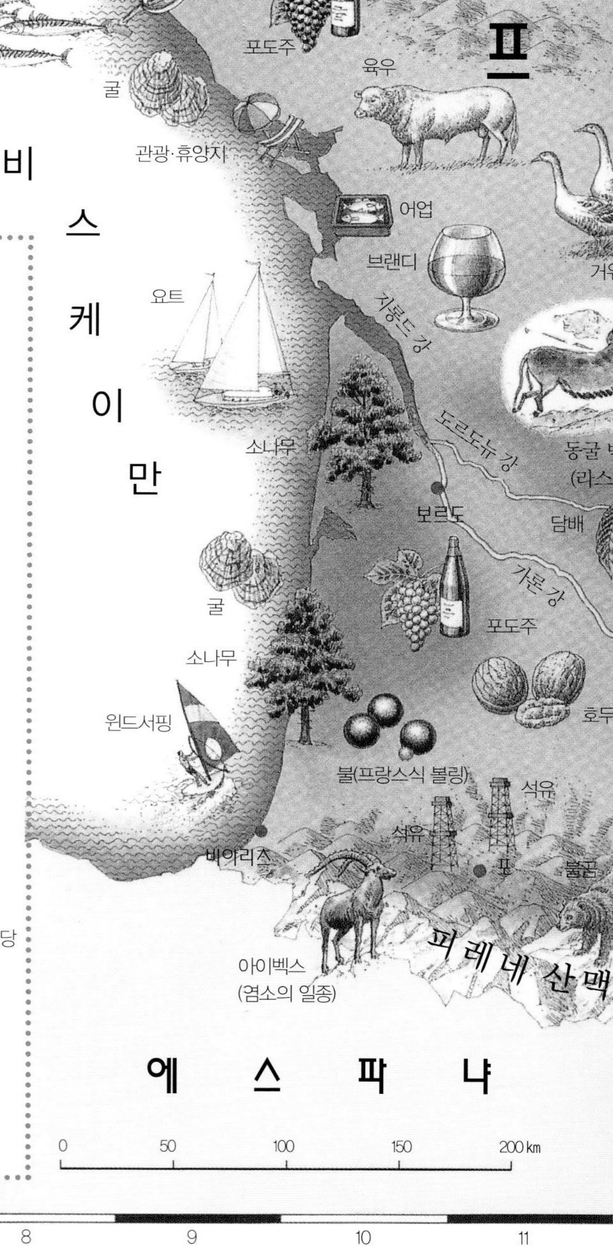

파리

파리는 센 강을 중심으로 생루이 섬과 시테 섬 위에 세워진 도시이다. 에펠 탑, 개선문, 화가들이 많이 모이는 몽마르트, 가로수가 줄지어 서 있는 거리와 산책길, 박물관, 미술관 등 파리에는 명소가 많다. 강의 오른쪽에는 세계 유행을 선도하는 고급 패션하우스들이 있고, 강의 왼쪽에는 서점과 길에 의자를 늘어놓은 카페가 즐비해 있다.

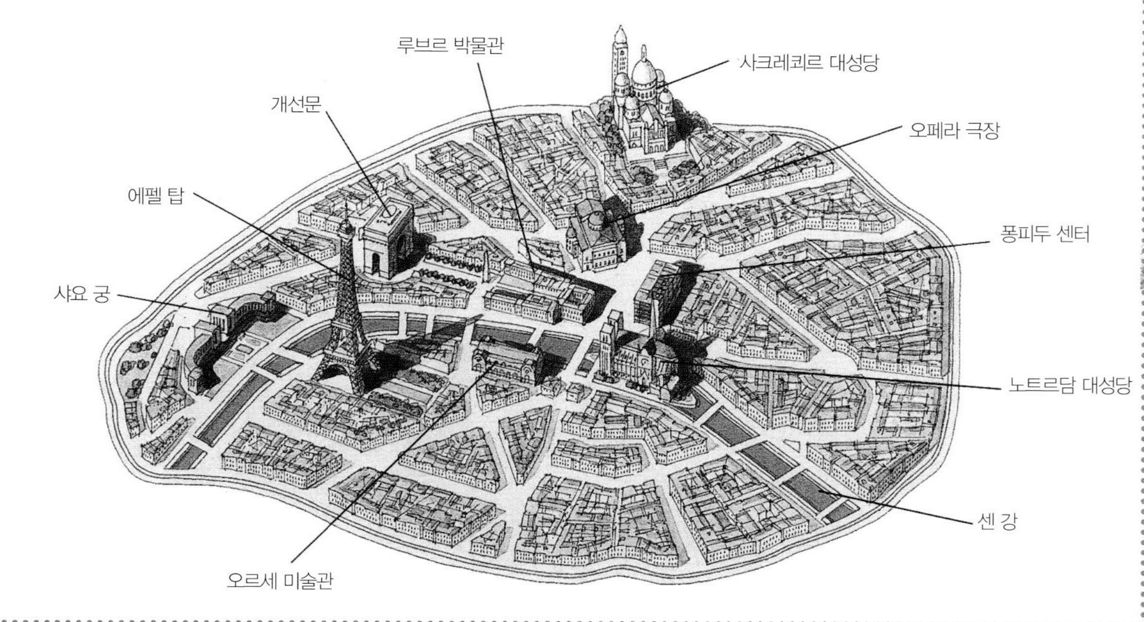

 *초6 사회 함께 살아가는 세계·중1 사회 자연 환경과 문화가 다양한 유럽·중2 사회 서양 근대사회의 발전과 변화, 현대 세계의 전개·고등 세계지리 유럽 연합

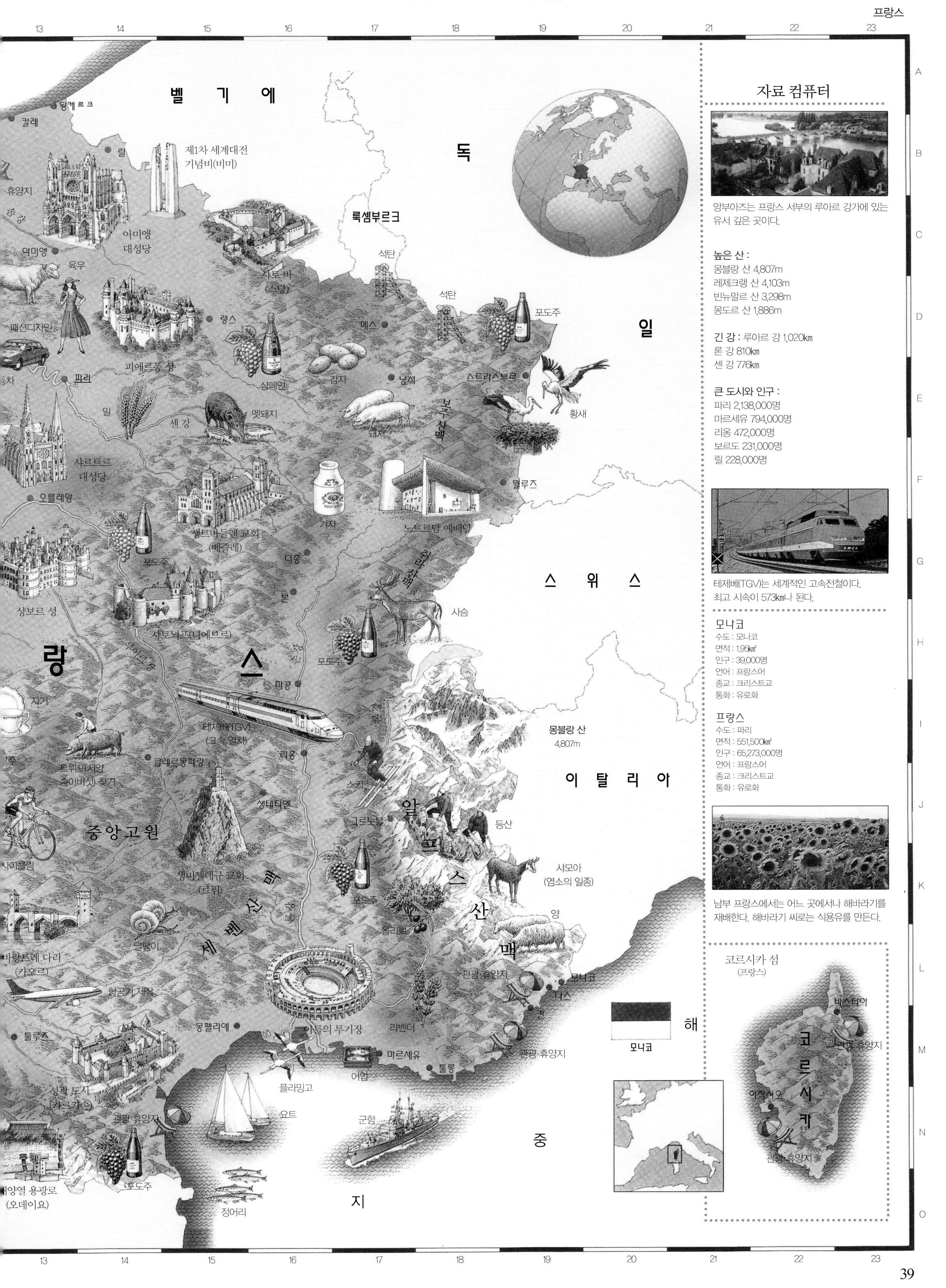

자료 컴퓨터

앙부아즈는 프랑스 서부의 루아르 강가에 있는 유서 깊은 곳이다.

높은 산 :
몽블랑 산 4,807m
레제크랭 산 4,103m
빈뉴말르 산 3,298m
몽도르 산 1,886m

긴 강 : 루아르 강 1,020㎞
론 강 810㎞
센 강 776㎞

큰 도시와 인구 :
파리 2,138,000명
마르세유 794,000명
리옹 472,000명
보르도 231,000명
릴 228,000명

테제베(TGV)는 세계적인 고속전철이다. 최고 시속이 573㎞나 된다.

모나코
수도 : 모나코
면적 : 1.95㎢
인구 : 39,000명
언어 : 프랑스어
종교 : 크리스트교
통화 : 유로화

프랑스
수도 : 파리
면적 : 551,500㎢
인구 : 65,273,000명
언어 : 프랑스어
종교 : 크리스트교
통화 : 유로화

남부 프랑스에서는 어느 곳에서나 해바라기를 재배한다. 해바라기 씨로는 식용유를 만든다.

벨기에, 네덜란드, 룩셈부르크

Belgium, the Netherlands, and Luxembourg

벨기에, 네덜란드, 룩셈부르크는 대부분 낮고 평평한 북유럽 평원에 있다. 네덜란드는 특히 국토의 절반 이상이 해면보다 낮다. 몇 세기에 걸쳐 바다를 간척하여 땅을 넓혔기 때문이다.

세 나라의 이름을 줄여서 베네룩스라고 하는 이들 국가는 선진 공업국이다. 벨기에와 네덜란드는 수세기 동안 중요 무역 국가였으며, 오늘날에도 네덜란드의 로테르담과 벨기에의 안트베르펜은 세계적인 무역항이다. 또한, 세 나라는 모두 현대 기술을 이용한 농업 생산도 활발히 지속하고 있다. 주요 농산물은 가축, 낙농 제품, 과일, 야채, 꽃 등이다. 어업과 관광도 이들 국가의 중요한 수입원이 되고 있다.

베네룩스 3국은 모두 유럽 공동체의 회원국이다. 유럽 공동체의 본부가 벨기에의 수도 브뤼셀에 있으며, 룩셈부르크에는 유럽 재판소가, 네덜란드의 헤이그에는 국제 사법 재판소가 있다.

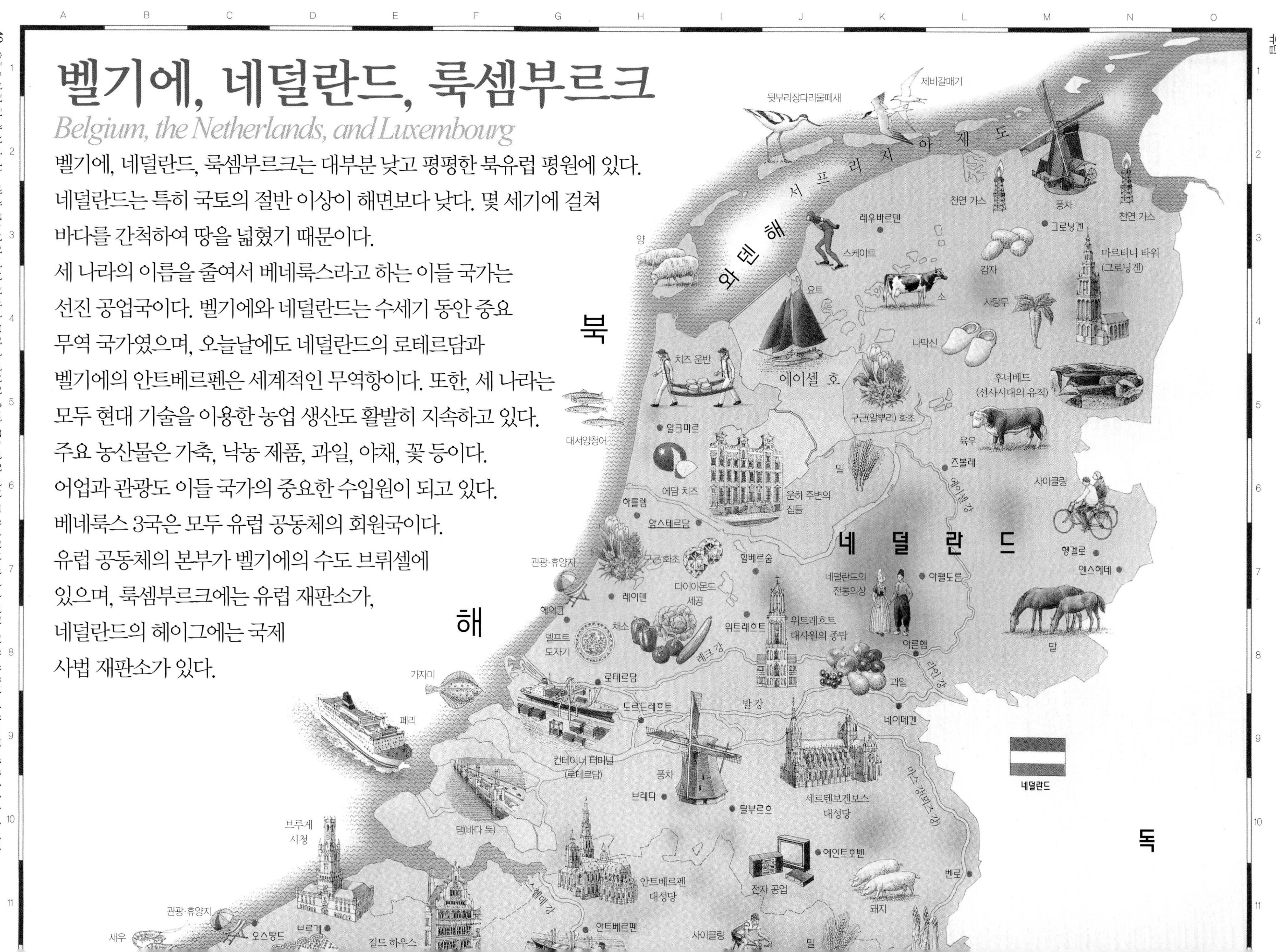

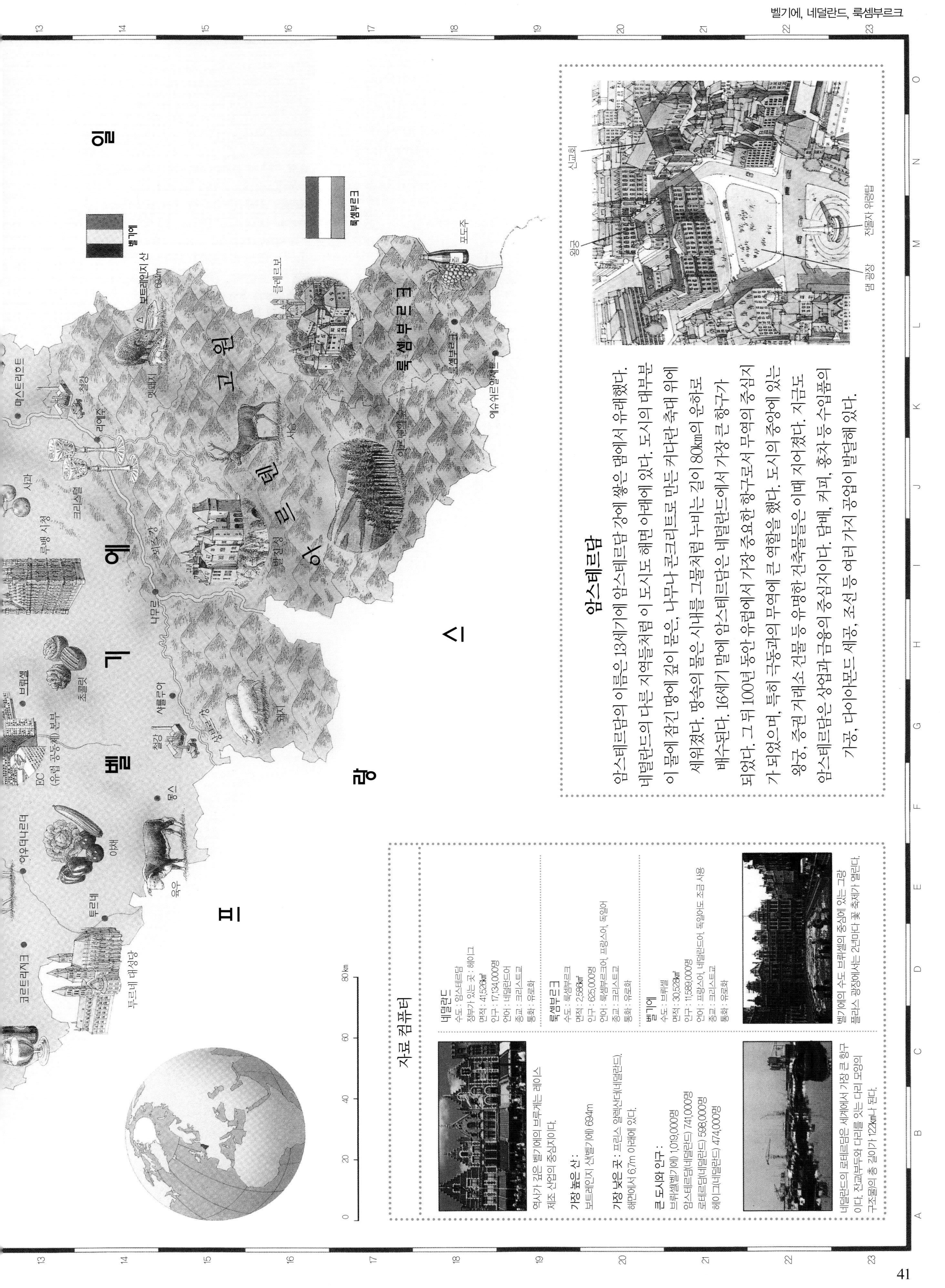

자료 컴퓨터

역사가 깊은 벨기에의 브루게는 레이스 제조 산업의 중심지이다.

가장 높은 산 : 보트레인지 산(벨기에) 694m

가장 낮은 곳 : 프린스 알렉산더(네덜란드). 해면에서 6.7m 아래에 있다.

큰 도시와 인구 :
브뤼셀(벨기에) 1,019,000명
암스테르담(네덜란드) 741,000명
로테르담(네덜란드) 598,000명
헤이그(네덜란드) 474,000명

네덜란드의 로테르담은 세계에서 가장 큰 항구이다. 전쟁부두와 다리를 잇는 다리 모양의 구조물의 총 길이가 122km나 된다.

네덜란드
수도 : 암스테르담
정부가 있는 곳 : 헤이그
면적 : 41,526㎢
인구 : 17,134,000명
언어 : 네덜란드어
종교 : 크리스트교
통화 : 유로화

룩셈부르크
수도 : 룩셈부르크
면적 : 2,586㎢
인구 : 625,000명
언어 : 룩셈부르크어, 프랑스어, 독일어
종교 : 크리스트교
통화 : 유로화

벨기에
수도 : 브뤼셀
면적 : 30,528㎢
인구 : 11,589,000명
언어 : 프랑스어, 네덜란드어, 독일어도 조금 사용
종교 : 크리스트교
통화 : 유로화

벨기에의 수도 브뤼셀의 중심에 있는 그랑플라스 광장에서는 2년마다 꽃 축제가 열린다.

암스테르담

암스테르담의 이름은 13세기에 암스테르담 강에 쌓은 댐에서 유래했다. 네덜란드의 다른 지역들처럼 이 도시도 해면 아래에 있다. 도시의 대부분이 물에 잠긴 땅에 깊이 묻은, 나무나 콘크리트로 만든 커다란 축대 위에 세워졌다. 땅속의 물은 시내를 그물처럼 누비는 길이 80km의 운하로 배수된다. 16세기 말에 암스테르담은 네덜란드에서 가장 큰 항구가 되었다. 그 뒤 100년 동안 유럽에서 가장 중요한 항구로서 무역의 중심지가 되었으며, 특히 극동과의 무역에 큰 역할을 했다. 도시의 중앙에 있는 왕궁, 증권 거래소 건물 등 유명한 건축물들은 이때 지어졌다. 지금도 암스테르담은 상업과 금융의 중심지이다. 담배, 커피, 홍차 등 수입품의 가공, 다이아몬드 세공, 조선 등 여러 가지 공업이 발달해 있다.

스칸디나비아의 나라들 *Scandinavia*

스칸디나비아는 북유럽의 덴마크, 노르웨이, 스웨덴, 핀란드와 북대서양의 아이슬란드 섬으로 이루어져 있다. 덴마크는 낮은 지역에 있어서 많은 땅이 농업에 이용되고 있다. 이와는 대조적으로 노르웨이는 대부분 산지이고, 해안에는 '피오르'라는 길고 좁은 만이 많다. 핀란드는 숲과 호수의 나라이고, 스웨덴은 숲, 농장, 산, 호수 등 자연 경관이 다채롭다. 아이슬란드는 중심부가 화산과 용암, 빙하로 이루어진 고원이어서 사람들 대부분이 해안 근처에서 살고 있다. 스칸디나비아 사람들은 1,000년쯤 전에 그곳에서 살았던 바이킹의 후손이다. 스칸디나비아는 천연 자원이 풍부하다. 목재와 해산물을 비롯해 스웨덴 북부의 철광석, 노르웨이 해에서 나는 석유와 천연 가스 등이 대표적이다. 오늘날 스칸디나비아의 나라들은 모두 선진 공업국이다.

피오르

마지막 빙하기에 스칸디나비아는 거대한 빙상과 빙하에 덮여 있었다. 거대한 얼음들이 움직이면서 땅을 침식하여 양쪽이 가파른 깊은 골짜기들을 만들었다. 그리고 11,000년쯤 전, 빙상이 녹으면서 이 골짜기들에 바닷물이 들어가 피오르가 생겼다. 노르웨이에 있는 길이 160㎞ 정도의 송네피오르가 세계에서 가장 길다.

아이슬란드

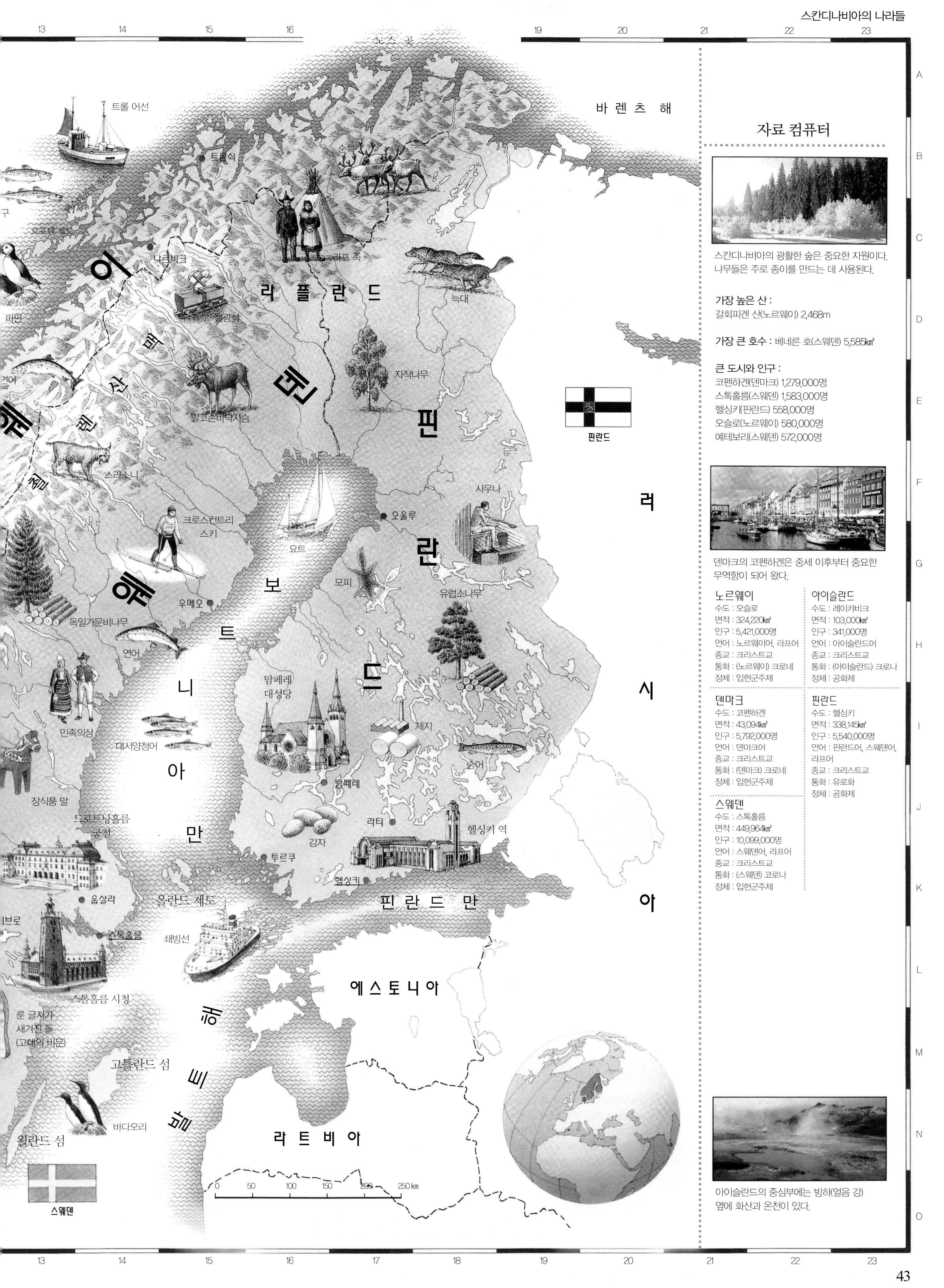

자료 컴퓨터

스칸디나비아의 광활한 숲은 중요한 자원이다. 나무들은 주로 종이를 만드는 데 사용된다.

가장 높은 산 :
갈회피겐 산(노르웨이) 2,468m

가장 큰 호수 : 베네른 호(스웨덴) 5,585㎢

큰 도시와 인구 :
코펜하겐(덴마크) 1,279,000명
스톡홀름(스웨덴) 1,583,000명
헬싱키(핀란드) 558,000명
오슬로(노르웨이) 580,000명
예테보리(스웨덴) 572,000명

덴마크의 코펜하겐은 중세 이후부터 중요한 무역항이 되어 왔다.

노르웨이
수도 : 오슬로
면적 : 324,220㎢
인구 : 5,421,000명
언어 : 노르웨이어, 라프어
종교 : 크리스트교
통화 : (노르웨이) 크로네
정체 : 입헌군주제

아이슬란드
수도 : 레이캬비크
면적 : 103,000㎢
인구 : 341,000명
언어 : 아이슬란드어
종교 : 크리스트교
통화 : (아이슬란드) 크로나
정체 : 공화제

덴마크
수도 : 코펜하겐
면적 : 43,094㎢
인구 : 5,792,000명
언어 : 덴마크어
종교 : 크리스트교
통화 : (덴마크) 크로네
정체 : 입헌군주제

핀란드
수도 : 헬싱키
면적 : 338,145㎢
인구 : 5,540,000명
언어 : 핀란드어, 스웨덴어, 라프어
종교 : 크리스트교
통화 : 유로화
정체 : 공화제

스웨덴
수도 : 스톡홀름
면적 : 449,964㎢
인구 : 10,099,000명
언어 : 스웨덴어, 라프어
종교 : 크리스트교
통화 : (스웨덴) 코로나
정체 : 입헌군주제

아이슬란드의 중심부에는 빙하(얼음 강) 옆에 화산과 온천이 있다.

독일, 오스트리아, 스위스

Germany, Austria, and Switzerland

라인 강과 도나우 강이 이 지역 북부의 평원에서부터 남부의 험한 산지까지를 관통하며 흐르고 있다. 라인 강은 북쪽으로 흘러 북해에 이르고, 도나우 강은 동쪽으로 흘러 흑해에 이른다. 독일은 수백 년 동안 작은 독립국들이 모여 살다가 1871년에 최초로 통일 국가를 이루었다. 공업과 정치가 발전했던 독일은 20세기에 이르러 두 차례의 세계대전에서 패한 뒤 민주주의 체제의 서독(독일연방공화국)과 공산주의 체제의 동독(독일민주공화국)으로 분열되었다. 이후 40년 이상 냉전 상태가 계속되다가 동독의 공산주의 정권이 무너지면서 1990년에 통일되었다. 오늘날 독일은 세계적인 공업 국가이다. 독일 남쪽에는 산악 국가인 오스트리아와 스위스가 있다. 관광, 특히 겨울 스포츠가 이 두 나라의 중요한 수입원이다. 금융과 상업의 중심지인 동시에 시계와 정밀 기계 산업으로 유명한 스위스는 1815년부터 중립을 지켜 유럽을 휩쓴 어떤 전쟁에도 참가하지 않았다. 오스트리아 역시 중립국이다. 스위스와 오스트리아 사이에는 리히텐슈타인이 있다. 국토가 짧은 곳은 8km, 긴 곳도 고작해야 24km밖에 안 되는 작은 나라이다.

알프스

알프스는 서유럽에서 가장 길고 높은 산맥이다. 프랑스 남서부에서부터 이탈리아, 스위스, 오스트리아, 슬로베니아, 크로아티아를 거쳐 몬테네그로 북부까지 길이가 1,200km나 된다. 스키와 등산을 위해 세계 각국에서 많은 사람들이 몰려들고 있다.

자료 컴퓨터

오스트리아의 수도 빈에 있는 벨베데레 성은 오랫동안 오스트리아를 지배했던 합스부르크 왕가를 위해 지어졌다.

긴 강 :
도나우 강 2,850㎞, 라인 강 1,320㎞

큰 호수 :
제네바 호(스위스–프랑스) 582㎢
보덴 호(독일–스위스–오스트리아) 571㎢

큰 도시와 인구 :
베를린(독일) 3,426,000명
함부르크(독일) 1,739,000명
빈(오스트리아) 1,691,000명
뮌헨(독일) 1,260,000명
쾰른(독일) 963,000명
프랑크푸르트(독일) 650,000명
에센(독일) 593,000명
취리히(스위스) 341,000명

세계에서 가장 높은 뾰족탑 :
독일 남부의 도시 울름에 있는 대성당의 뾰족탑으로, 높이가 161m나 된다.

배 통행량이 세계에서 가장 많은 운하 :
독일의 킬 운하. 북해와 발트 해를 이어 준다. 1989년에는 45,000척의 배가 통과했다.

세계에서 가장 긴 도로 터널 :
스위스의 생고타드 터널. 알프스 산맥을 뚫은 이 터널은 길이가 16.32㎞나 된다.

세계에서 가장 큰 지붕 :
독일의 뮌헨에 있는 올림픽 스타디움의 유리 지붕. 넓이가 85,000㎡나 된다.

알프스의 기슭에서는 많은 젖소를 사육하고 있다. 이 젖소들의 우유는 유명한 스위스 초콜릿 재료로 쓰인다.

독일
수도 : 베를린
정부가 있는 곳 : 본
면적 : 357,021㎢
인구 : 83,783,000명
언어 : 독일어
종교 : 크리스트교
통화 : 유로화
정체 : 공화제

리히텐슈타인
수도 : 파두츠
면적 : 160㎢
인구 : 38,000명
언어 : 독일어
종교 : 크리스트교
통화 : (스위스) 프랑
정체 : 입헌군주제

스위스
수도 : 베른
면적 : 41,290㎢
인구 : 8,654,000명
언어 : 독일어, 프랑스어, 이탈리아어
종교 : 크리스트교
통화 : (스위스) 프랑
정체 : 공화제

오스트리아
수도 : 빈
면적 : 83,870㎢
인구 : 9,006,000명
언어 : 독일어
종교 : 크리스트교
통화 : 유로화
정체 : 공화제

독일 남부의 도시 뮌헨은 매해 9월 말부터 10월 초까지 열리는 맥주 축제로 유명하다.

라인 계곡

스위스에서 발원한 라인 강은 독일과 네덜란드를 지나 북해에 이른다. 배가 이 강을 타고 스위스의 바젤까지 갈 수 있어서 몇 세기 동안 유럽의 중요한 무역로로 이용되었다. 석탄, 철광석, 석유 등은 지금도 라인 강을 통해 수송되고 있다. 강줄기를 따라서 독일 서부에 이르면 양쪽이 깎아지른 듯한 계곡을 지나간다. 절벽 위에는 800년이나 된 옛 성들이 여기저기 서 있고, 계곡 주변의 계단 모양으로 된 땅에서는 포도가 재배되고 있다. 라인 계곡은 무엇보다 비스바덴 서쪽에 있는 '로렐라이 바위'로 유명하다. 전설에 따르면, 라인 강을 항해하는 뱃사람들이 요정의 아름다운 노랫소리에 넋을 잃고 그녀의 모습을 바라보고 있는 동안 배가 물결에 휩쓸려 암초에 부딪쳐 난파되었다고 한다.

이탈리아 *Italy*

남유럽 지중해에 800km나 뻗어 있는 이탈리아는 국토의 모양이 장화와 비슷하다. 북쪽의 눈 덮인 알프스 산맥이 다른 나라들과 경계를 이루고 있으며, 영토의 4분의 3 이상이 구릉이나 산지이다. 등뼈처럼 남북으로 뻗은 아펜니노 산맥의 산지에는 수백 년 전의 모습을 간직하고 있는 산꼭대기의 마을과 작은 도시들이 있다. 지중해에 있는 시칠리아 섬과 사르데냐 섬도 이탈리아의 영토이다.

이탈리아는 오랫동안 여러 도시 국가들로 이루어져 있다가 1870년, 로마 시내에 있는 바티칸과 이탈리아 북동부의 산마리노를 제외하고 하나의 국가를 이루었다. 지금도 나라 곳곳에는 로마 시대의 도로와 유적이 그대로 남아 있다. 르네상스운동(14C~16C까지 있었던 문예부흥운동)의 중심지이기도 했던 이탈리아는 미켈란젤로, 레오나르도 다 빈치, 라파엘로, 단테 등 세계적인 예술가를 배출했다. 현재 이탈리아는 철강, 화학제품, 섬유, 자동차 등을 생산하는 선진 공업국이다. 하지만 여전히 많은 사람들이 농사를 짓고 있다. 주요 농산물은 밀, 옥수수, 쌀, 포도, 올리브이다. 해안에는 어장이 많다.

자료 컴퓨터

약 120개의 섬 위에 세워진 베네치아는 운하가 도로 역할을 한다.

승용차, 오토바이, 트랙터, 트럭은 이탈리아의 중요 수출품이다. 주요 제조 회사는 피아트, 페라리, 람보르기니이다.

높은 산 :
몽블랑 산(이탈리아–프랑스) 4,807m
몬테로사 산(이탈리아–스위스) 4,634m

가장 긴 강 : 포 강 680km

큰 호수 : 가르다 호 370km²
마조레 호 210km², 코모 호 146km²

큰 도시와 인구 :
로마 2,318,000명, 밀라노 1,236,000명
나폴리 959,000명, 토리노 870,000명

몰타
수도 : 발레타
면적 : 316km²
인구 : 441,000명
언어 : 몰타어, 영어
종교 : 크리스트교
통화 : 유로화
정체 : 공화제

바티칸
면적 : 0.44km²
인구 : 801명

산마리노
수도 : 산마리노
면적 : 61km²
인구 : 33,000명
언어 : 이탈리아어
종교 : 크리스트교
통화 : 유로화
정체 : 공화제

이탈리아
수도 : 로마
면적 : 301,230km²
인구 : 60,461,000명
언어 : 이탈리아어
종교 : 크리스트교
통화 : 유로화
정체 : 공화제

이탈리아 중부의 시에나에서는 해마다 팔리오라는 경마가 열린다. 기수는 15세기부터 전해져 오는 전통의상을 입는다.

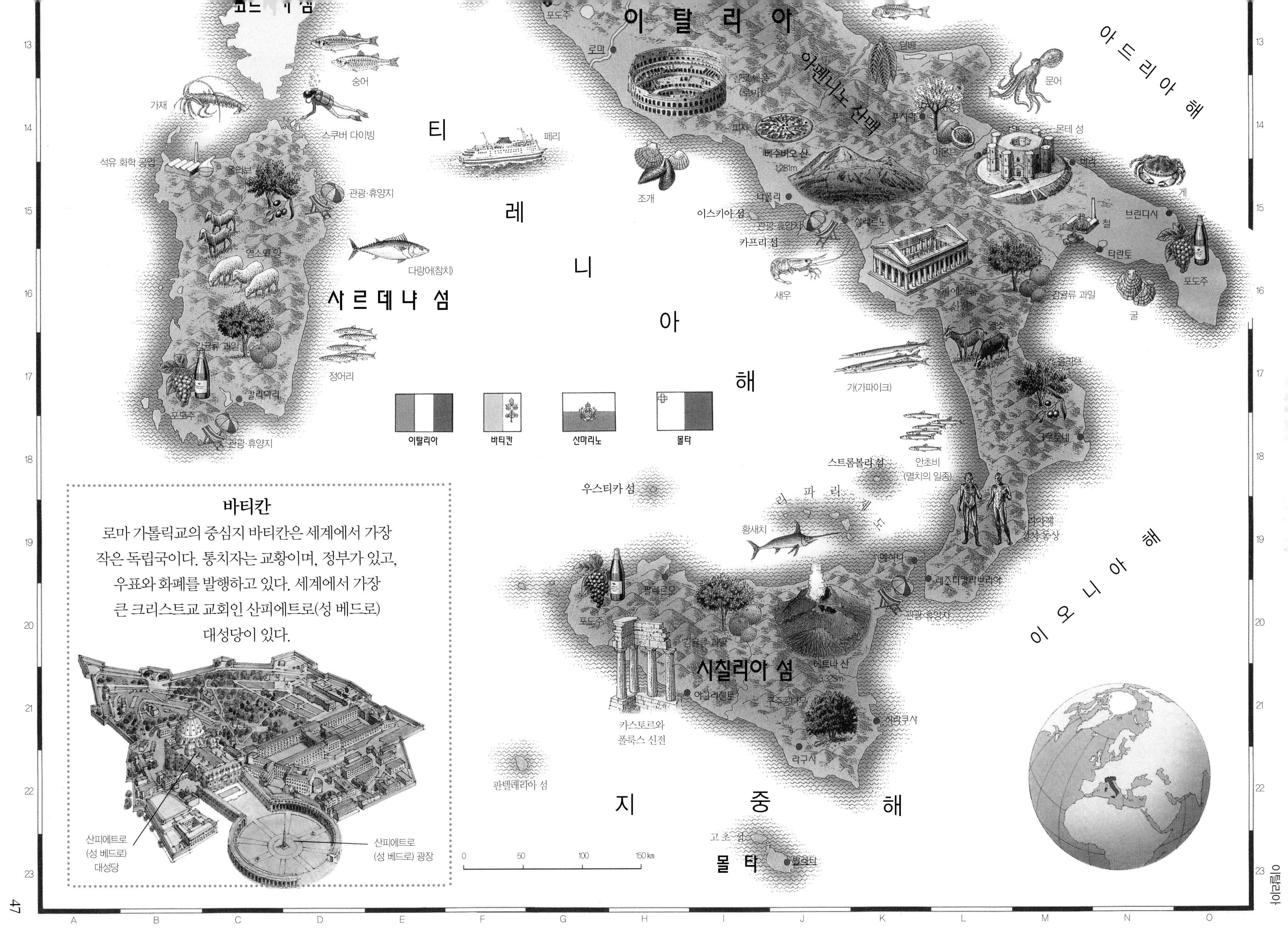

바티칸

로마 가톨릭교의 중심지 바티칸은 세계에서 가장 작은 독립국이다. 통치자는 교황이며, 정부가 있고, 우표와 화폐를 발행하고 있다. 세계에서 가장 큰 크리스트교 교회인 산피에트로(성 베드로) 대성당이 있다.

에스파냐와 포르투갈

Spain and Portugal

유럽 남서부의 이베리아 반도에 위치한 에스파냐(스페인)와 포르투갈은 수세기 동안 로마 사람과 무어 사람 등의 지배를 받았다. 특히 북아프리카에서 온 아랍 민족인 무어 사람은 800년 가까이 에스파냐를 지배했다. 1492년, 이탈리아의 항해자 크리스토퍼 콜럼버스가 에스파냐에서 출발해 아메리카를 항해했고, 1497년에는 포르투갈의 탐험가 바스코 다가마가 처음으로 아프리카를 돌아 인도에 이르렀다. 당시 탐험가들을 뒤따랐던 식민지 개척자들에 의해 에스파냐와 포르투갈은 16세기에 남북아메리카와 아시아, 아프리카의 넓은 바다와 영토를 지배했다. 오늘날 이 두 나라의 많은 사람들은 농업과 어업을 하며 살아가고 있다. 공업도 발달하여 철강, 선박, 자동차, 화학제품, 섬유 등을 생산하고 있다. 관광도 두 나라의 중요한 수입원이다.

포도주 무역

에스파냐와 포르투갈은 알코올 도수가 높은 포도주로 유명하다. 도수가 높은 이유는 배에 실어 외국으로 수송하는 동안 향기가 빠져 나가는 것을 막기 위해 포도즙에 브랜디를 넣었기 때문이다. 이렇게 독해진 포도주는 나무통에 넣어 적어도 3년 동안 숙성시킨다. 남에스파냐의 헤레스(셰레스) 데 라 프론테라에서 생산하는 셰리와 포르투갈의 포르투에서 생산하는 포트가 대표적인 포도주이다.

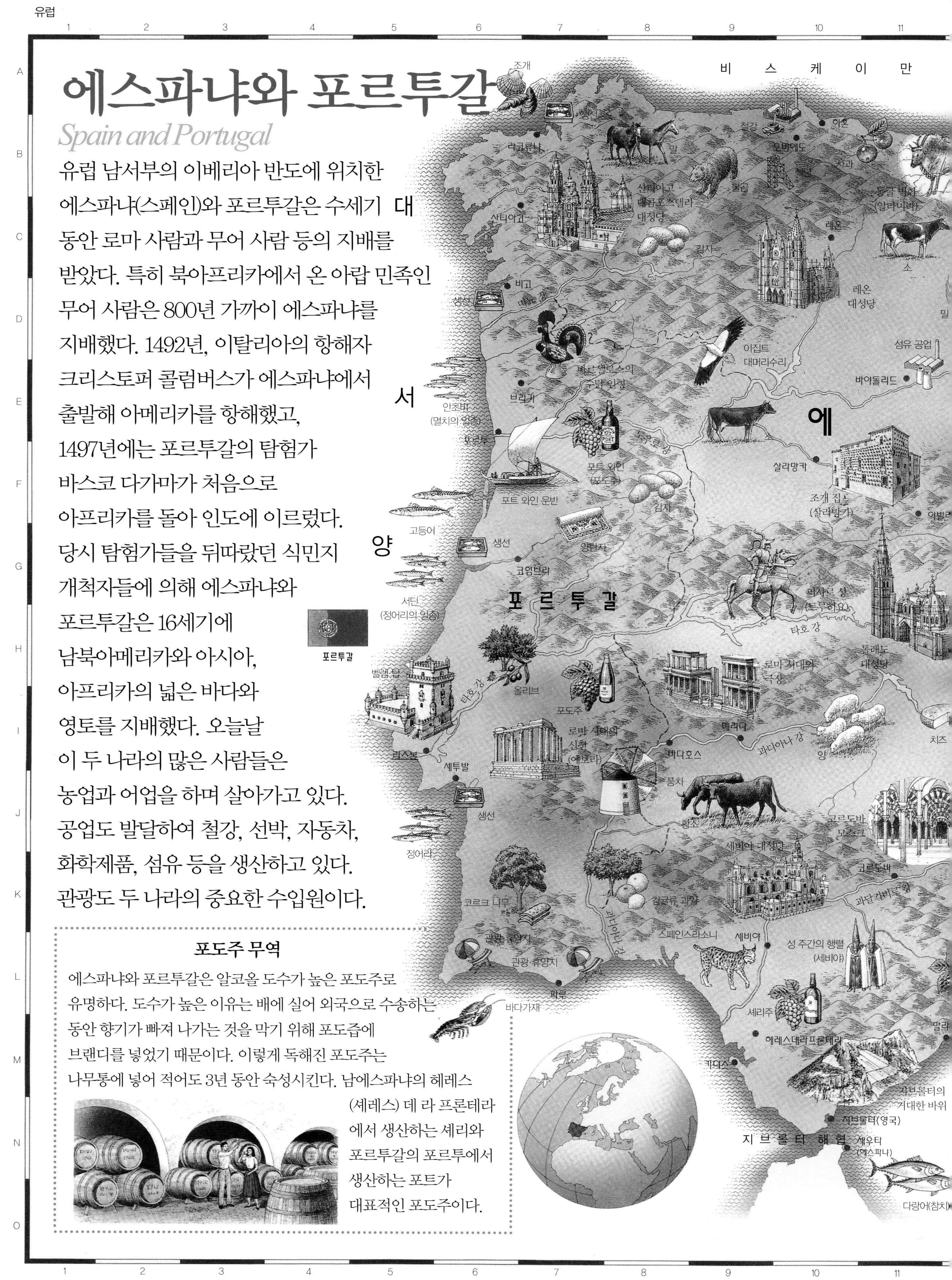

 *초6 사회 함께 살아가는 세계·중1 사회 자연 환경과 문화가 다양한 유럽·중2 사회 서양 근대사회의 발전과 변화, 현대 세계의 전개·고등 세계지리 유럽 연합

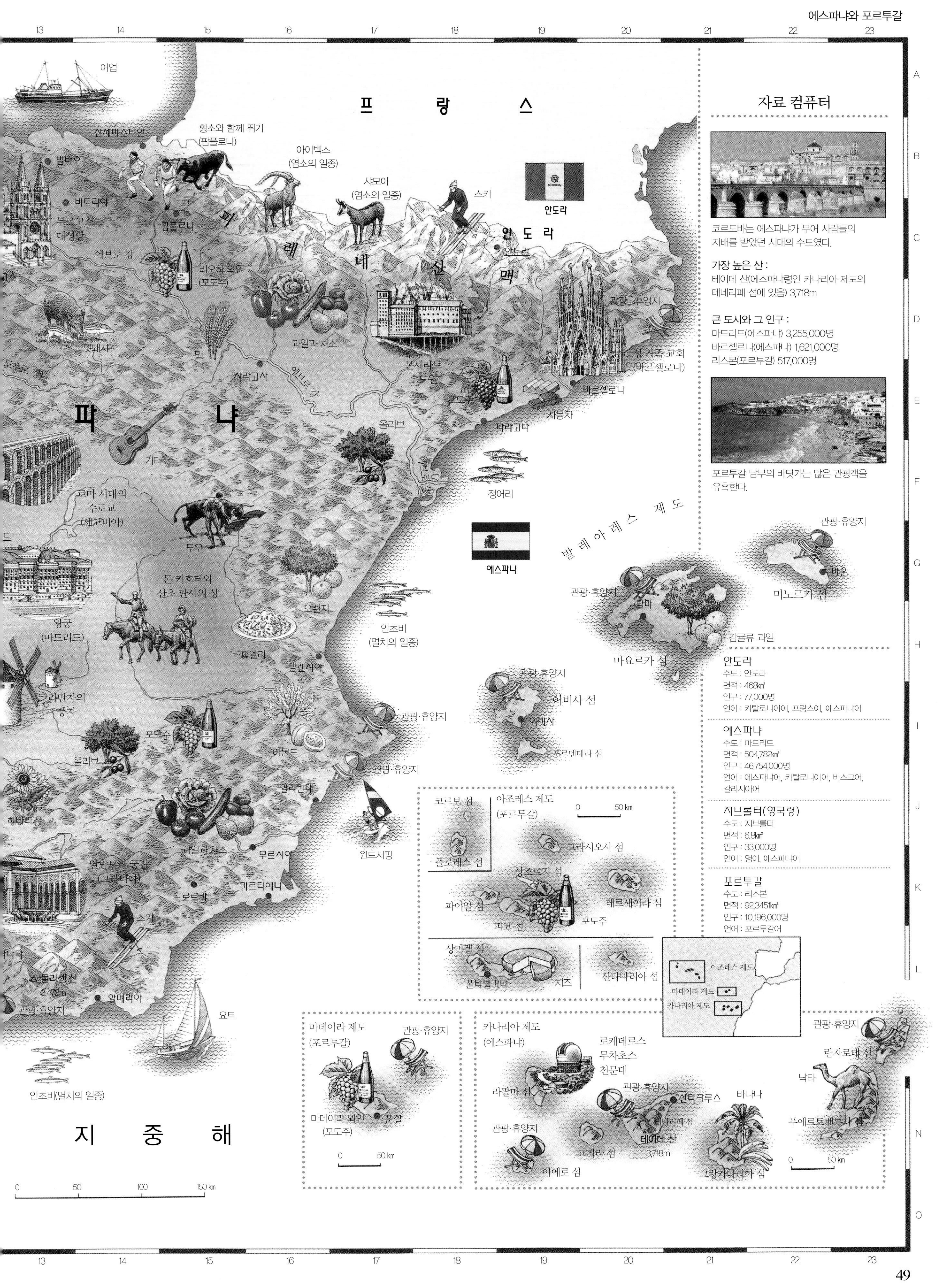
프랑스
어업
산세바스티안
황소와 함께 뛰기
(팜플로나)
아이벡스
(염소의 일종)
샤모아
(염소의 일종)
스키
안도라
안도라
빌바오
비토리아
부르고스 대성당
팜플로나
피레네 산맥
에브로 강
리오하 와인
(포도주)
관광·휴양지
과일과 채소
몬세라트 수도원
성 가족 교회
(바르셀로나)
사라고사
에브로 강
포도주
바르셀로나
자동차
타라고나
파냐
기타
올리브
정어리
로마 시대의 수로교
(세고비아)
투우
발레아레스 제도
에스파냐
돈 키호테와 산초 판사의 상
관광·휴양지
팔마
미노르카 섬
마온
왕궁
(마드리드)
오렌지
인초비
(멸치의 일종)
감귤류 과일
마요르카 섬
파엘랴
발렌시아
라만차의 풍차
관광·휴양지
이비사 섬
이비사
포도주
아몬드
포르멘테라 섬
올리브
관광·휴양지
알리칸테
윈드서핑
과일과 채소
무르시아
알람브라 궁전
(그라나다)
로르카
카르타헤나
스키
물라센 산
3,478m
알메리아
관광·휴양지
요트
안초비(멸치의 일종)
지중해
0 50 100 150 km
아조레스 제도
(포르투갈)
코르보 섬
플로레스 섬
그라시오사 섬
상조르지 섬
파이알 섬
테르세이라 섬
피코 섬
포도주
상미겔 섬
폰타델가다
치즈
산타마리아 섬
0 50 km
아조레스 제도
마데이라 제도
카나리아 제도
마데이라 제도
(포르투갈)
관광·휴양지
마데이라 와인
(포도주)
푼샬
0 50 km
카나리아 제도
(에스파냐)
로케데로스 무차초스 천문대
라팔마 섬
관광·휴양지
산타크루스
바나나
테네리페 섬
테이데 산
3,718m
관광·휴양지
고메라 섬
이에로 섬
그랑카나리아 섬
관광·휴양지
란자로테 섬
낙타
푸에르토벤투라 섬
0 50 km

자료 컴퓨터
코르도바는 에스파냐가 무어 사람들의 지배를 받았던 시대의 수도였다.
가장 높은 산 :
테이데 산(에스파냐령인 카나리아 제도의 테네리페 섬에 있음) 3,718m
큰 도시와 그 인구 :
마드리드(에스파냐) 3,255,000명
바르셀로나(에스파냐) 1,621,000명
리스본(포르투갈) 517,000명
포르투갈 남부의 바닷가는 많은 관광객을 유혹한다.
안도라
수도 : 안도라
면적 : 468㎢
인구 : 77,000명
언어 : 카탈로니아어, 프랑스어, 에스파냐어
에스파냐
수도 : 마드리드
면적 : 504,782㎢
인구 : 46,754,000명
언어 : 에스파냐어, 카탈로니아어, 바스크어, 갈리시아어
지브롤터(영국령)
수도 : 지브롤터
면적 : 6.8㎢
인구 : 33,000명
언어 : 영어, 에스파냐어
포르투갈
수도 : 리스본
면적 : 92,345㎢
인구 : 10,196,000명
언어 : 포르투갈어

중앙유럽과 동유럽의 나라들 *Central and Eastern Europe*

중앙유럽과 동유럽은 불안정한 지역이다. 제2차 세계대전 뒤 그리스를 뺀 이 지역의 모든 나라들이 공산당 정권을 세우고 옛 소련과 관계를 강화시키는가 하면, 최근에는 커다란 정치적 변동이 생기면서 많은 나라가 민주 정부를 세우고 서유럽 국가들과 가까운 관계를 맺었다. 북부의 폴란드는 여러 차례 전쟁의 무대가 되었던 곳이다. 지금은 석탄과 구리 자원을 바탕으로 섬유, 철강, 조선 등의 공업이 발달해 있다. 농업도 활발해서 감자, 밀, 사탕무가 많이 난다.

폴란드 밑에는 1993년, 체코슬로바키아가 분리되면서 평화적으로 독립을 이룬 체코와 슬로바키아가 있다. 남쪽에는 그리스, 알바니아, 보스니아-헤르체고비나, 크로아티아, 슬로베니아, 북마케도니아, 세르비아, 몬테네그로, 불가리아, 루마니아, 헝가리 등 이른바 발칸 제국(발칸 반도의 여러 나라)이 있다. 보스니아-헤르체고비나, 크로아티아, 슬로베니아, 마케도니아, 세르비아, 몬테네그로는 제2차 세계대전 후 유고슬라비아 공화국을 이루다가 1992년과 2006년에 각각 독립했다.

폴란드

헝가리

루마니아

불가리아

체코

슬로바키아

슬로베니아

자료 컴퓨터

아드리아 해 연안에는 그림같이 아름다운 오래 된 마을들이 많다.

큰 도시와 인구 :
부다페스트(헝가리) 1,741,000명
아테네(그리스) 664,000명

가장 긴 강 :
도나우 강 2,850㎞

높은 산 :
무살라 산(불가리아) 2,925m
올림포스 산(그리스) 2,917m

폴란드의 수도 바르샤바는 제2차 세계대전 때 심하게 파괴되었으나, 이후 유서 깊은 건물들이 대부분 재건되었다.

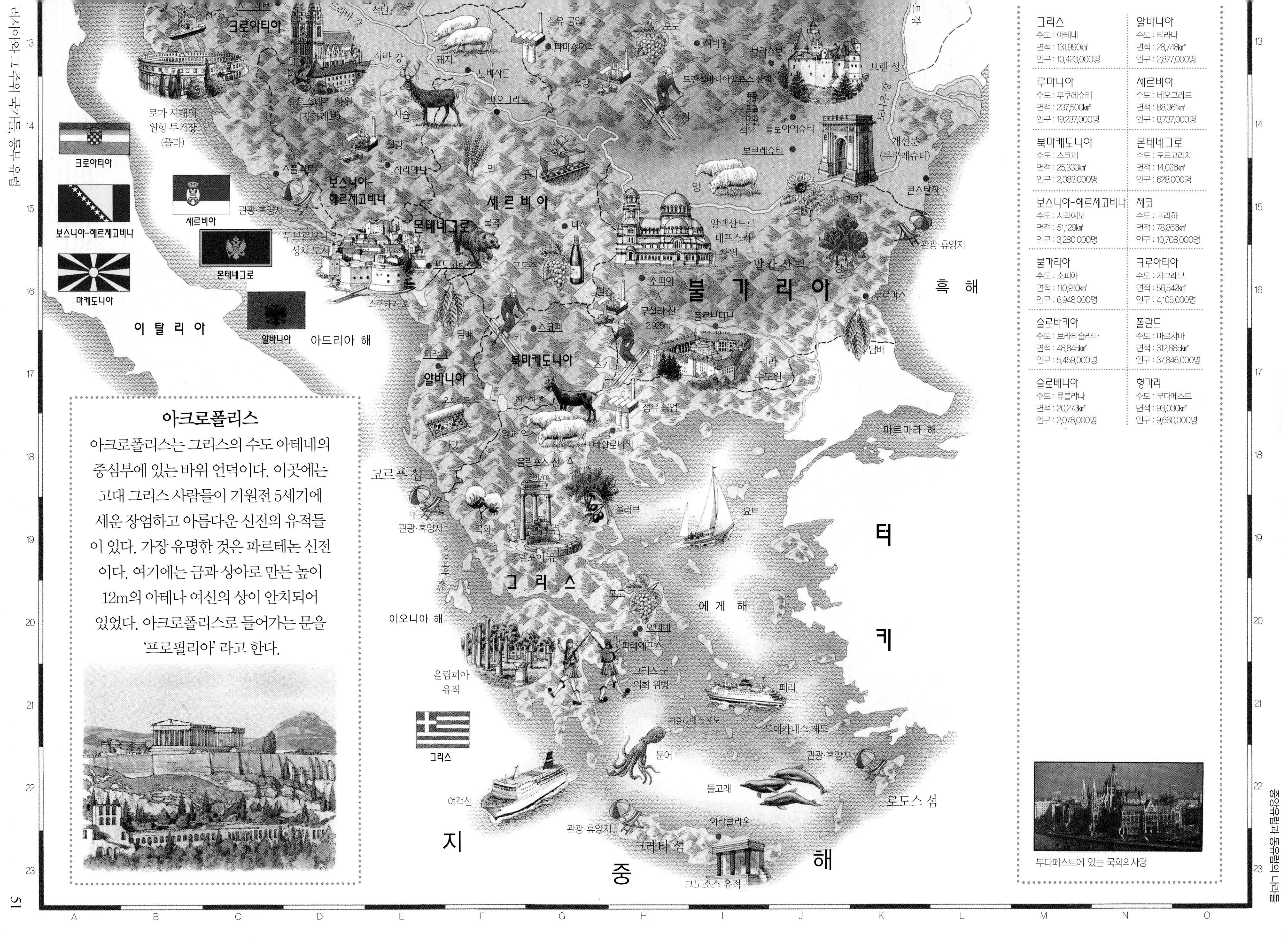

아크로폴리스

아크로폴리스는 그리스의 수도 아테네의 중심부에 있는 바위 언덕이다. 이곳에는 고대 그리스 사람들이 기원전 5세기에 세운 장엄하고 아름다운 신전의 유적들이 있다. 가장 유명한 것은 파르테논 신전이다. 여기에는 금과 상아로 만든 높이 12m의 아테나 여신의 상이 안치되어 있었다. 아크로폴리스로 들어가는 문을 '프로필리아'라고 한다.

그리스 수도 : 아테네 면적 : 131,990㎢ 인구 : 10,423,000명	**알바니아** 수도 : 티라나 면적 : 28,748㎢ 인구 : 2,877,000명
루마니아 수도 : 부쿠레슈티 면적 : 237,500㎢ 인구 : 19,237,000명	**세르비아** 수도 : 베오그라드 면적 : 88,361㎢ 인구 : 8,737,000명
북마케도니아 수도 : 스코페 면적 : 25,333㎢ 인구 : 2,083,000명	**몬테네그로** 수도 : 포드고리차 면적 : 14,026㎢ 인구 : 628,000명
보스니아-헤르체고비나 수도 : 사라예보 면적 : 51,129㎢ 인구 : 3,280,000명	**체코** 수도 : 프라하 면적 : 78,866㎢ 인구 : 10,708,000명
불가리아 수도 : 소피아 면적 : 110,910㎢ 인구 : 6,948,000명	**크로아티아** 수도 : 자그레브 면적 : 56,542㎢ 인구 : 4,105,000명
슬로바키아 수도 : 브라티슬라바 면적 : 48,845㎢ 인구 : 5,459,000명	**폴란드** 수도 : 바르샤바 면적 : 312,685㎢ 인구 : 37,846,000명
슬로베니아 수도 : 류블랴나 면적 : 20,273㎢ 인구 : 2,078,000명	**헝가리** 수도 : 부다페스트 면적 : 93,030㎢ 인구 : 9,660,000명

부다페스트에 있는 국회의사당

중국의 구이린 시

아시아 *Asia*

세계 육지의 거의 3분의 1을 차지하는 아시아는 세계에서 가장 큰 대륙이다. 세계 인구의 3분의 2가 살고 있으며, 세계에서 가장 높은 곳인 에베레스트 산과 가장 낮은 곳인 사해가 있다. 또한 유대교, 이슬람교, 불교, 크리스트교, 유교, 힌두교가 모두 아시아에서 일어났다. 아시아는 북극권에서 적도까지 펼쳐져 있기 때문에 지구에서 가장 추운 곳부터 가장 더운 곳까지, 가장 건조한 곳부터 습기가 가장 많은 곳까지 기후가 매우 다양하다. 세계에서 가장 넓은 나라인 러시아 시베리아의 침엽수림 지대는 겨울 날씨가 너무 추워서 사람이 거의 살지 않는다. 러시아 동쪽에는 14억의 인구를 자랑하는 중국이 있다. 반면에 고비 사막과 티베트 고원의 인구는 매우 적다. 세계에서 가장 높은 히말라야 산맥의 남쪽에는 인도가 있다. 13억이 넘는 인구가 이곳에서 살고 있는데, 땅이 기름진 해안 지대나 북부에 있는 갠지스 강, 인더스 강 유역의 평원에 집중되어 있다. 서남아시아는 세계 최초의 문명이 일어난 곳이다. 지중해 연안에서 시리아를 거쳐 티그리스 강, 유프라테스 강 사이에 이르는 지역에서 수메르 사람, 아시리아 사람, 바빌로니아 사람, 헤브루 사람들이 찬란한 문명을 꽃피웠다. 오늘날 서남아시아는 사람이 거의 살지 않는 아라비아 반도의 사막과 걸프 만 연안의 석유가 풍부한 나라들이 대조를 이룬다. 인도네시아, 말레이시아, 필리핀 등으로 대표되는 동남아시아는 적도 부근에 있다. 많은 지역이 수천 개나 되는 섬으로 이루어져 있다.

대한민국의 불국사 석가탑

자료 컴퓨터

면적 : 43,810,000㎢

인구 : 4,641,054,000명

독립 국가 수 :
43개국(아시아에 97%가 속하는 터키, 75%가 속하는 러시아도 포함)

면적이 넓은 나라 :
러시아의 아시아 부분 12,650,000㎢ (러시아 총면적의 75%)
중국 9,596,960㎢

인구가 많은 나라 :
중국 1,439,323,000명(세계 1위)
인도 1,380,004,000명

큰 도시와 인구 :
상하이(중국) 22,315,000명, 도쿄(일본) 8,336,000명
서울(한국) 10,349,000명

높은 산 :
에베레스트 산(네팔-중국) 8,848m(세계에서 가장 높다)
K2(고드윈오스틴 산, 파키스탄-중국) 8,611m

긴 강 :
양쯔 강(중국) 6,300km, 황허(중국) 5,464km
오비 강-이르티시 강(러시아) 5,570km
아무르 강(러시아-중국) 4,443km

주요 사막 :
고비 사막(몽고-중국) 약 1,295,000㎢
타르 사막(파키스탄-인도) 약 192,000㎢

큰 호수 :
카스피 해 371,000㎢(세계에서 가장 크다)
아랄 해(카자흐스탄-우즈베키스탄) 38,500㎢

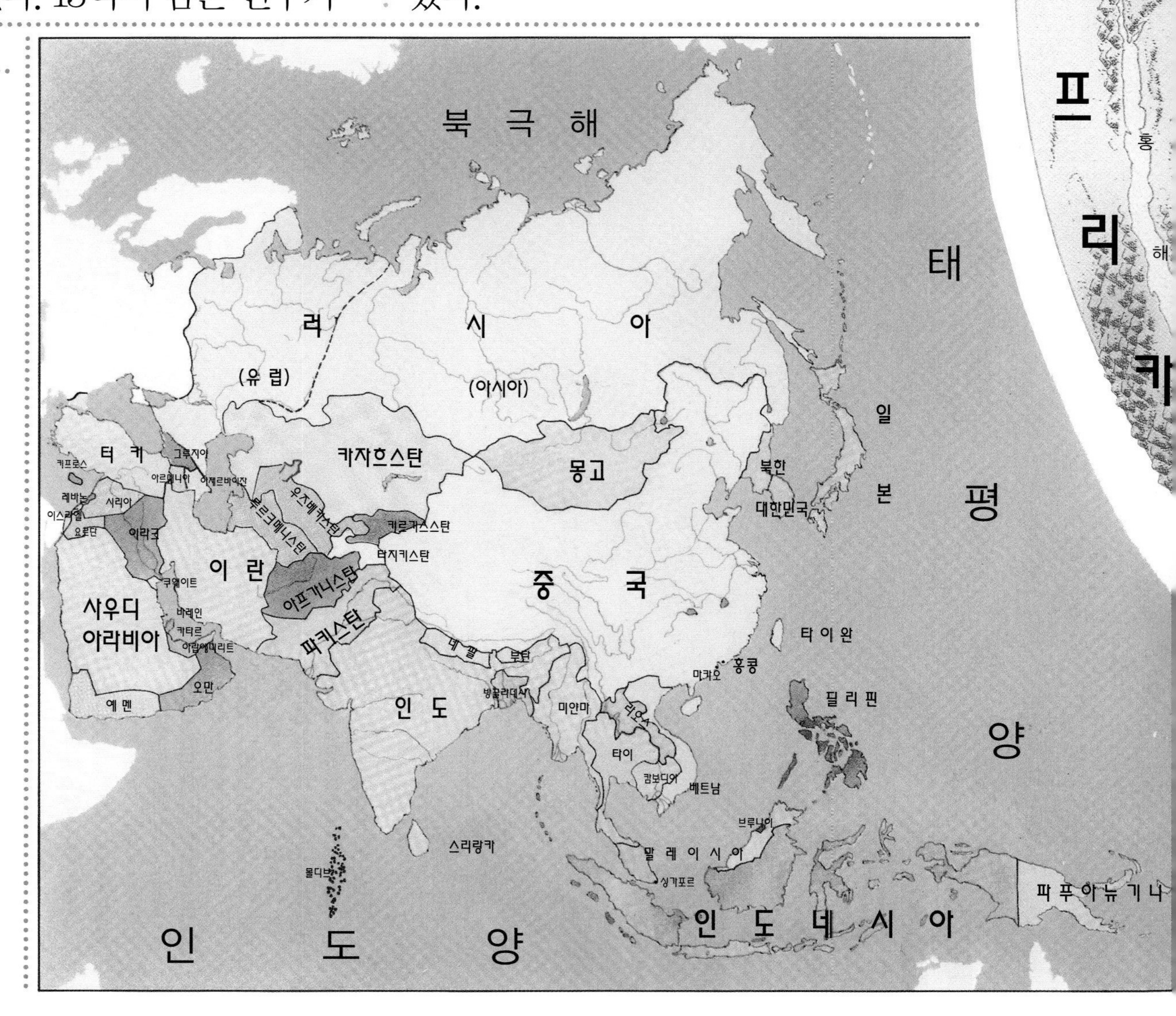

 *초6 사회 함께 살아가는 세계·중1 사회 아시아 및 아프리카의 생활, 아시아 사회의 발전과 변화·중2 사회 아시아 사회의 변화와 근대적 성장·

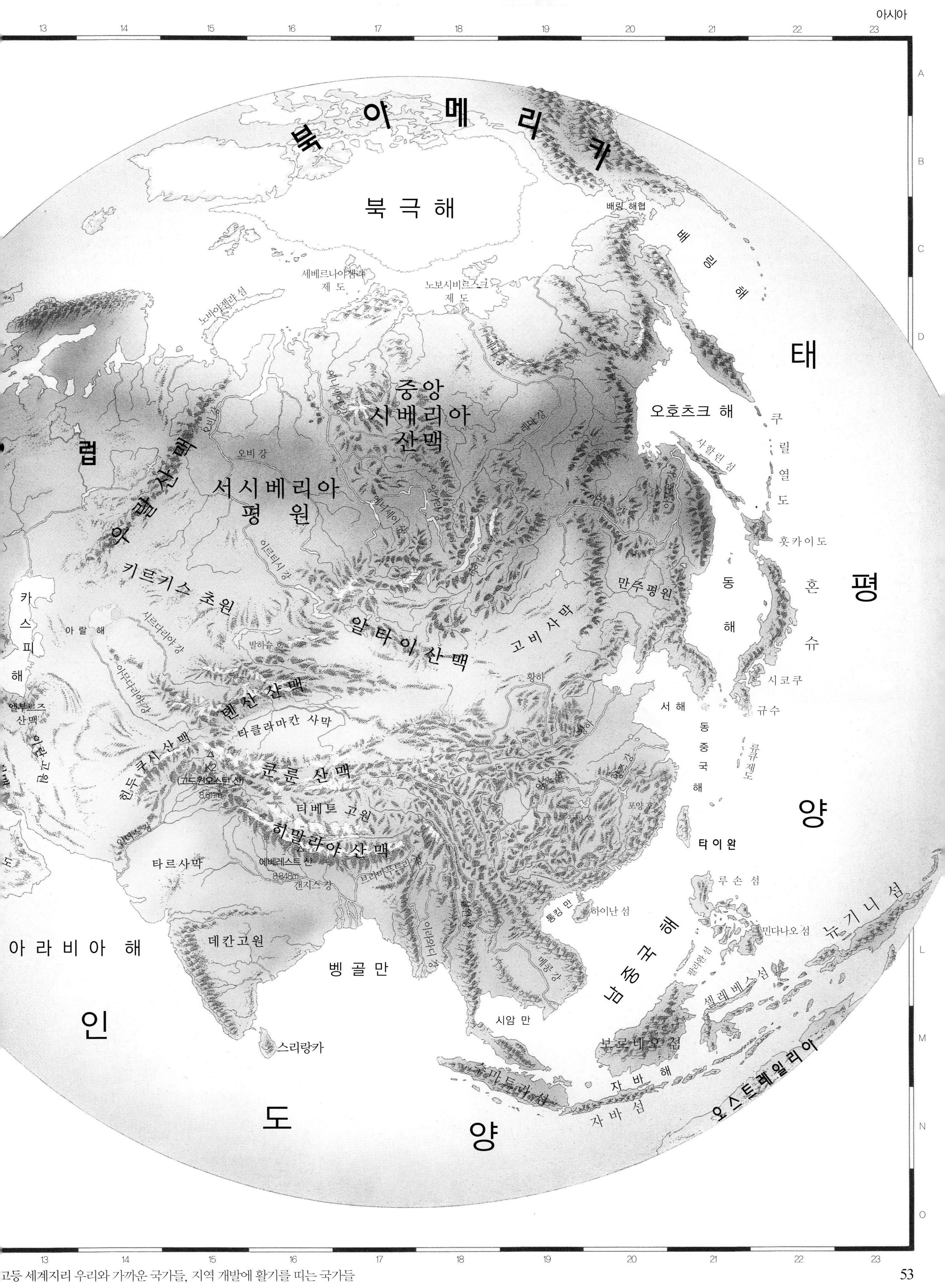
북 아 메 리 카
북 극 해
베링 해협
베 링 해
세베르나야젬랴 제 도
노보시비르스크 제 도
노바야젬랴 섬
태
평
양
중앙 시베리아 산맥
오호츠크 해
쿠 릴 열 도
사할린 섬
오비 강
서시베리아 평 원
우 랄 산 맥
레나 강
예니세이 강
이르티시 강
키르기스 초원
카 스 피 해
아 랄 해
시르다리야 강
아무다리야 강
발하슈 호
알 타 이 산 맥
고 비 사 막
만주평원
동 해
혼 슈
홋카이도
시코쿠
규 수
황하
서 해
동 중 국 해
류큐 제도
톈 산 산 맥
타클라마칸 사막
힌두쿠시 산맥
K2 (고드윈오스틴 산) 8,611m
쿤 룬 산 맥
티베트 고원
히말라야 산맥
에베레스트 산 8,848m
갠지스 강
타르사막
엘부르즈 산맥
포양 호
타 이 완
루 손 섬
통킹 만
하이난 섬
민다나오 섬
뉴 기 니 섬
아 라 비 아 해
데칸고원
벵 골 만
남 중 국 해
메콩 강
셀레베스 섬
시암 만
보르네오 섬
인
도
양
스리랑카
수마트라 섬
자 바 해
자 바 섬
오스트레일리아
13 14 15 16 17 18 19 20 21 22 23
A B C D L M N O

북부 유라시아 *Northern Eurasia*

북부 유라시아 지역은 우랄 산맥을 경계로 하는 유럽과 아시아에 걸쳐 있다. 아시아 지역이 전체 면적의 약 75%를 차지하지만, 인구는 전체의 35% 정도이다. 동쪽으로 시베리아까지 펼쳐진 이 지역은 대부분 사람이 살지 않는 야생 침엽수림으로 덮여 있다. 겨울에 북쪽 지방의 기온이 섭씨 영하 45도까지 내려가지만, 이곳에는 진귀한 광물과 석유가 많이 매장되어 있다. 1922년부터 1991년까지 북부 유라시아는 15개의 공산주의 체제를 가진 소련에 속해 있었다. 그러나 1991년, 소련이 해체되어 공화국들이 독립하기 시작했다. 그 공화국들 가운데 가장 큰 러시아는 새로 독립한 몇 나라를 한데 묶어 '독립 국가 연합'(CIS)을 이루었다.

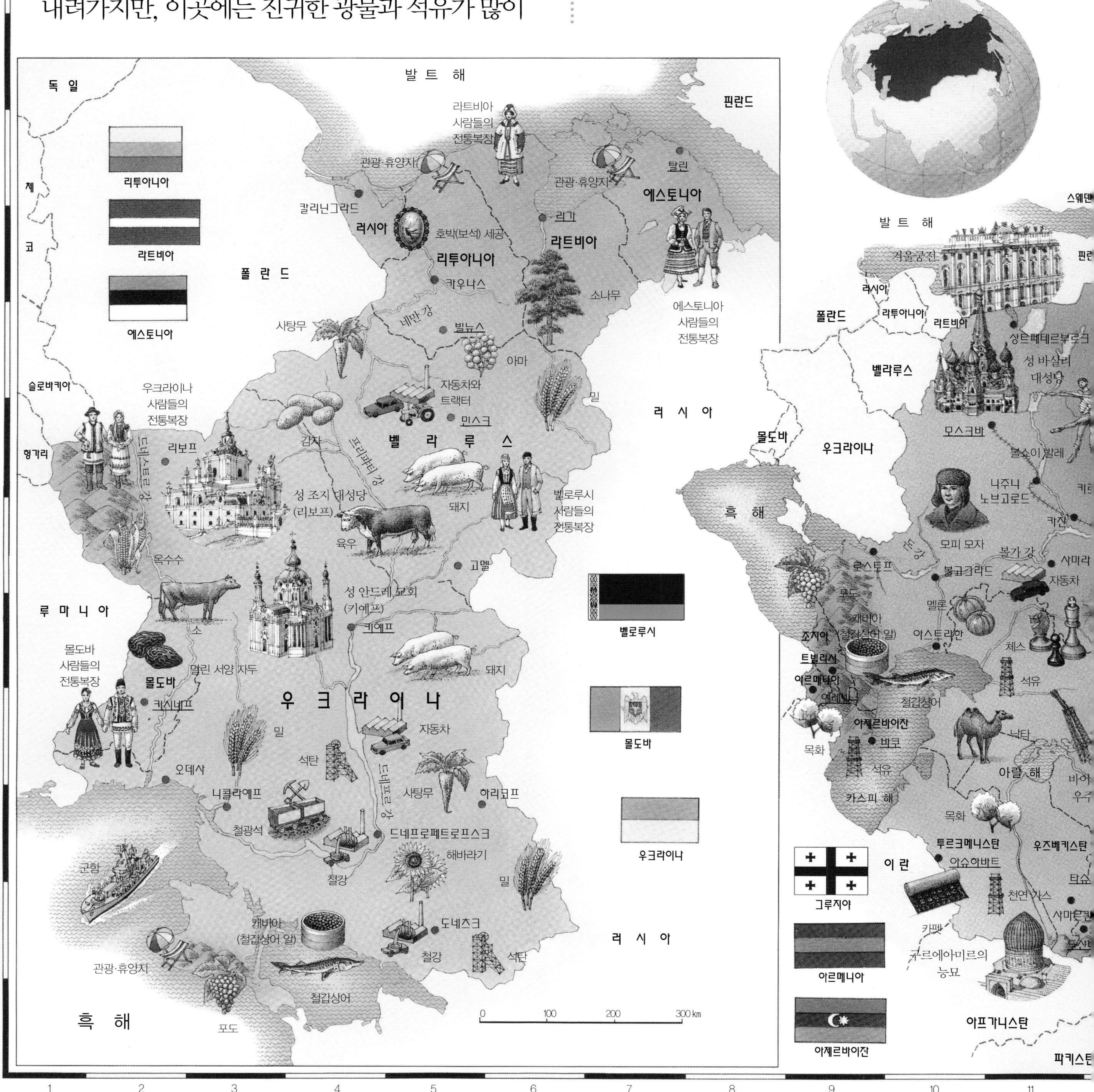

 *초6 사회 함께 살아가는 세계·중1 사회 아시아 및 아프리카의 생활, 아시아 사회의 발전과 변화·중2 사회 아시아 사회의 변화와 근대적 성장·

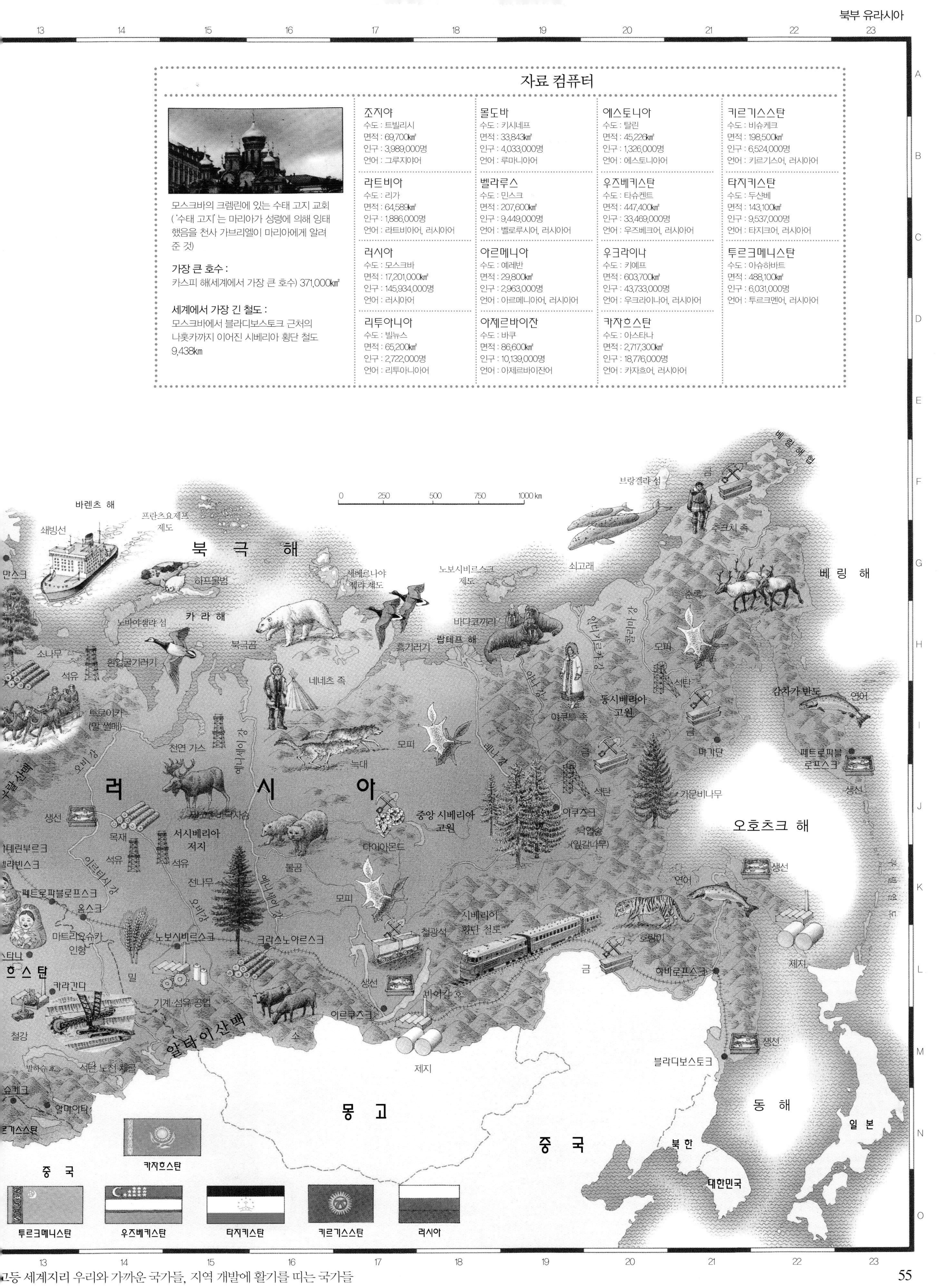

자료 컴퓨터

모스크바의 크렘린에 있는 수태 고지 교회('수태 고지'는 마리아가 성령에 의해 잉태했음을 천사 가브리엘이 마리아에게 알려 준 것)

가장 큰 호수 :
카스피 해(세계에서 가장 큰 호수) 371,000㎢

세계에서 가장 긴 철도 :
모스크바에서 블라디보스토크 근처의 나홋카까지 이어진 시베리아 횡단 철도 9,438㎞

국가	수도	면적	인구	언어
조지아	트빌리시	69,700㎢	3,989,000명	그루지야어
라트비아	리가	64,589㎢	1,886,000명	라트비아어, 러시아어
러시아	모스크바	17,201,000㎢	145,934,000명	러시아어
리투아니아	빌뉴스	65,200㎢	2,722,000명	리투아니아어
몰도바	키시네프	33,843㎢	4,033,000명	루마니아어
벨라루스	민스크	207,600㎢	9,449,000명	벨로루시어, 러시아어
아르메니아	예레반	29,800㎢	2,963,000명	아르메니아어, 러시아어
아제르바이잔	바쿠	86,600㎢	10,139,000명	아제르바이잔어
에스토니아	탈린	45,226㎢	1,326,000명	에스토니아어
우즈베키스탄	타슈켄트	447,400㎢	33,469,000명	우즈베크어, 러시아어
우크라이나	키예프	603,700㎢	43,733,000명	우크라이나어, 러시아어
카자흐스탄	아스타나	2,717,300㎢	18,776,000명	카자흐어, 러시아어
키르기스스탄	비슈케크	198,500㎢	6,524,000명	키르기스어, 러시아어
타지키스탄	두샨베	143,100㎢	9,537,000명	타지크어, 러시아어
투르크메니스탄	아슈하바트	488,100㎢	6,031,000명	투르크멘어, 러시아어

서남아시아

Southwestern Asia

중동이라고 알려진 서남아시아는 아프리카, 유럽과 맞닿아 있어서 풍경과 문화가 다양하다. 지중해 연안에 있는 나라들은 습도가 높아 감귤류의 과일, 올리브, 밀 등이 재배된다. 남쪽에는 사우디아라비아의 큰 사막이 있고, 그 옆으로는 세계에서 가장 큰 석유 매장 지대인 페르시아 만 연안의 나라들이 있다. 세계 최초의 정착 농경민 부락들이 지중해 연안에서 티그리스 강과 유프라테스 강의 사이까지 펼쳐져 있는 '비옥한 초승달 지대' 에서 생겨 발전했다. 서남아시아는 최근에 이란 혁명과 길고 격렬한 걸프 전쟁으로 불안정한 지역이 되어 왔다. 레바논 내전으로 많은 사상자를 냈고, 이라크는 9·11테러 사건 후 미국으로 대표되는 다목적군의 공격을 받았다. 이스라엘과 아랍 여러 나라들의 전쟁도 여러 차례 일어났다.

예루살렘

예루살렘은 크리스트교, 이슬람교, 유대교의 성지여서 해마다 수백만 명이 찾고 있다. '성묘(예수의 묘) 교회' 는 예수가 묻혔다고 믿는 장소에, 꼭대기를 금으로 입힌 석조 돔은 마호메트가 승천했다고 믿는 곳에 세워져 있다. 유대 교도들이 기도하러 가는 '통곡의 벽' 은 기원전 1세기에 헤롯왕이 세운 유대 신전의 유적이다.

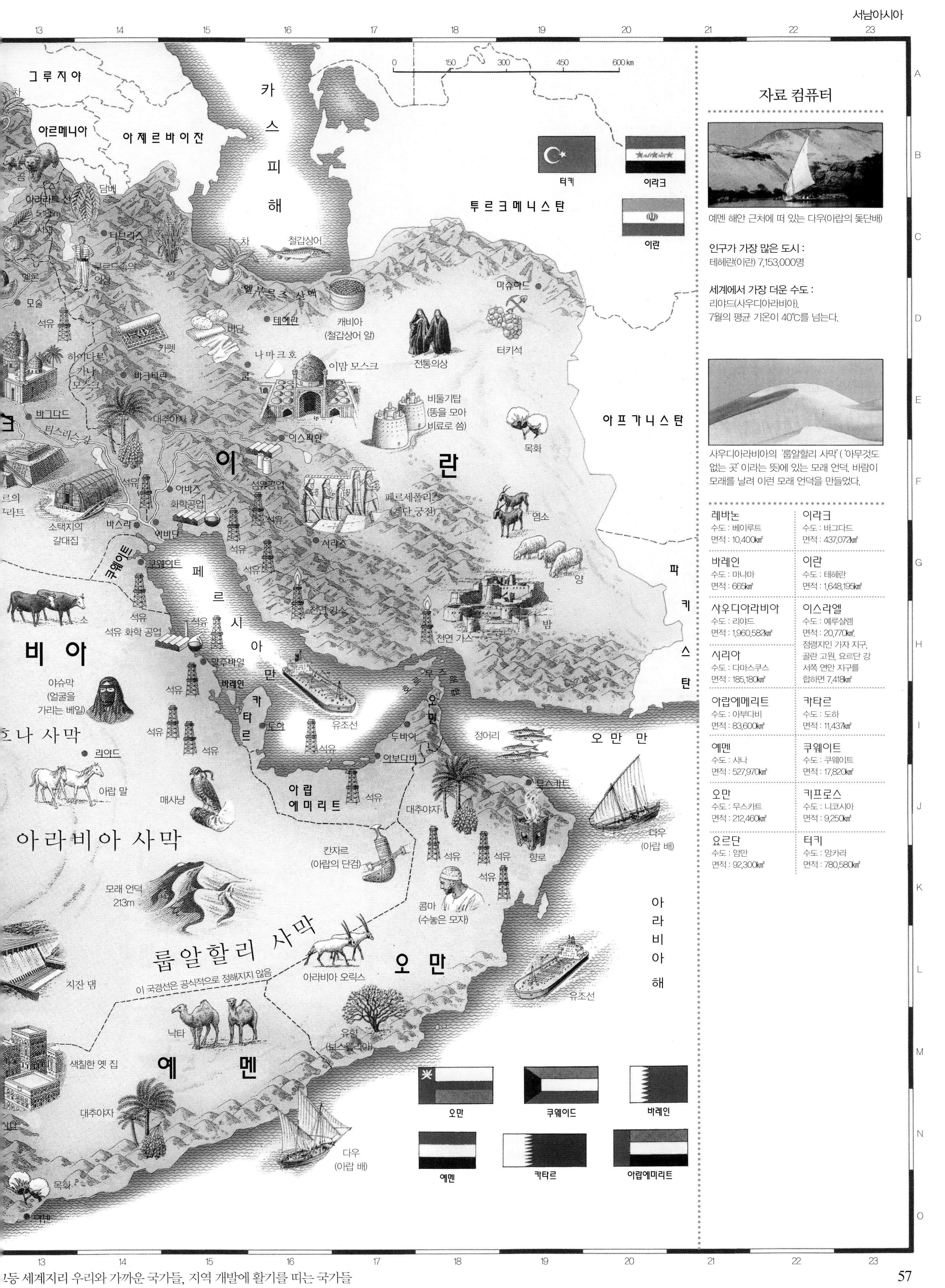

자료 컴퓨터

예멘 해안 근처에 떠 있는 다우(아랍의 돛단배)

인구가 가장 많은 도시 :
테헤란(이란) 7,153,000명

세계에서 가장 더운 수도 :
리야드(사우디아라비아).
7월의 평균 기온이 40℃를 넘는다.

사우디아라비아의 '룹알할리 사막'('아무것도 없는 곳'이라는 뜻)에 있는 모래 언덕. 바람이 모래를 날려 이런 모래 언덕을 만들었다.

국가	수도	면적
레바논	베이루트	10,400㎢
이라크	바그다드	437,072㎢
바레인	마나마	665㎢
이란	테헤란	1,648,195㎢
사우디아라비아	리야드	1,960,582㎢
이스라엘	예루살렘	20,770㎢, 점령지인 가자 지구, 골란 고원, 요르단 강 서쪽 연안 지구를 합하면 7,418㎢
시리아	다마스쿠스	185,180㎢
아랍에메리트	아부다비	83,600㎢
카타르	도하	11,437㎢
예멘	사나	527,970㎢
쿠웨이트	쿠웨이트	17,820㎢
오만	무스카트	212,460㎢
키프로스	니코시아	9,250㎢
요르단	암만	92,300㎢
터키	앙카라	780,580㎢

남아시아 *Southern Asia*

세계 인구의 약 22%인 13억 이상의 사람이 남아시아에서 살고 있다. 남아시아 사람들은 대부분 비가 많이 오는 해안 지대나 인더스 강, 갠지스 강 유역의 기름진 평야에서 농사를 지으며 생활하고 있다. 몬순(계절풍)의 영향으로 5월부터 11월까지 집중적으로 내리는 비에 의존하면서 주로 쌀을 생산한다. 남아시아에서 가장 큰 나라인 인도는 16세기와 17세기에 무굴 제국에 의해 통일되었다. 그리고 18세기에 영국의 식민지가 되었다가 1947년, 독립하면서 이슬람교를 믿는 파키스탄과 힌두교를 믿는 인도로 나누어졌다. 1971년에는 파키스탄의 동부가 떨어져 나가 방글라데시가 세워졌다. 오늘날 파키스탄과 인도는 남아시아에서 공업이 가장 발달된 나라이다. 파키스탄은 섬유, 식품 가공, 화학 공업, 인도는 석유, 석탄, 철광석, 망간 등의 자원을

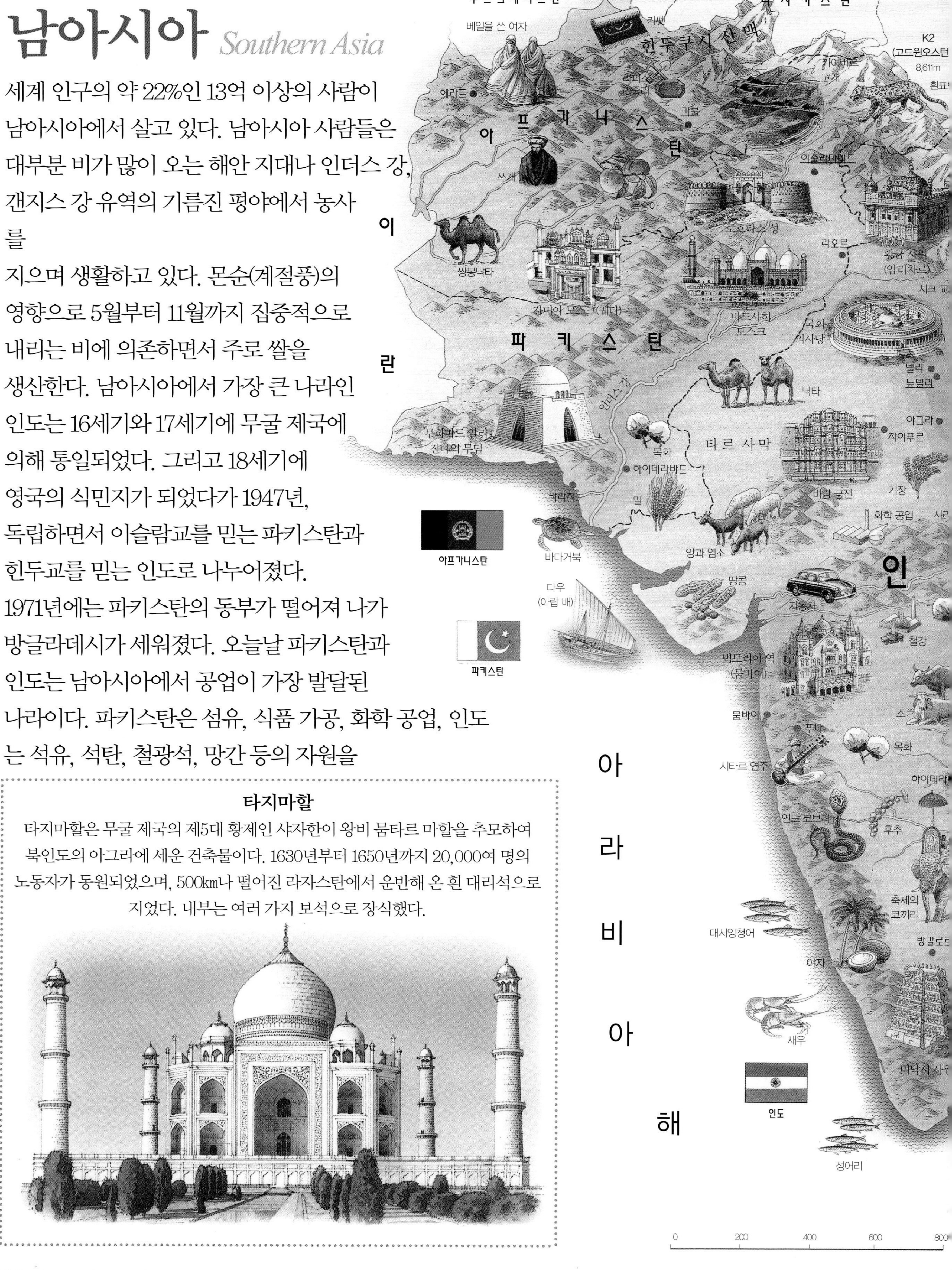

타지마할

타지마할은 무굴 제국의 제5대 황제인 샤자한이 왕비 뭄타르 마할을 추모하여 북인도의 아그라에 세운 건축물이다. 1630년부터 1650년까지 20,000여 명의 노동자가 동원되었으며, 500km나 떨어진 라자스탄에서 운반해 온 흰 대리석으로 지었다. 내부는 여러 가지 보석으로 장식했다.

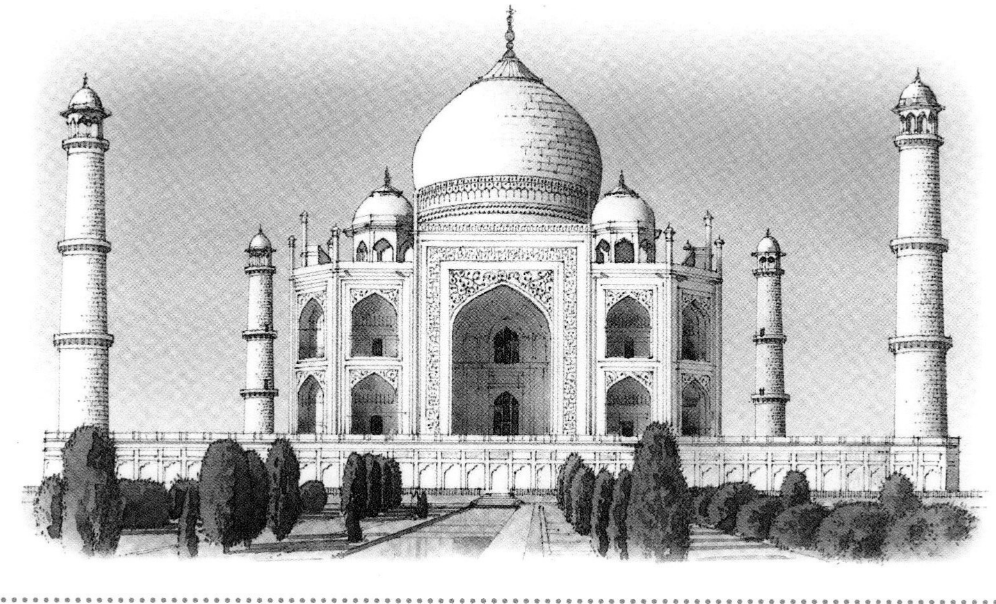

 *초6 사회 함께 살아가는 세계·중1 사회 아시아 및 아프리카의 생활, 아시아 사회의 발전과 변화·중2 사회 아시아 사회의 변화와 근대적 성장·

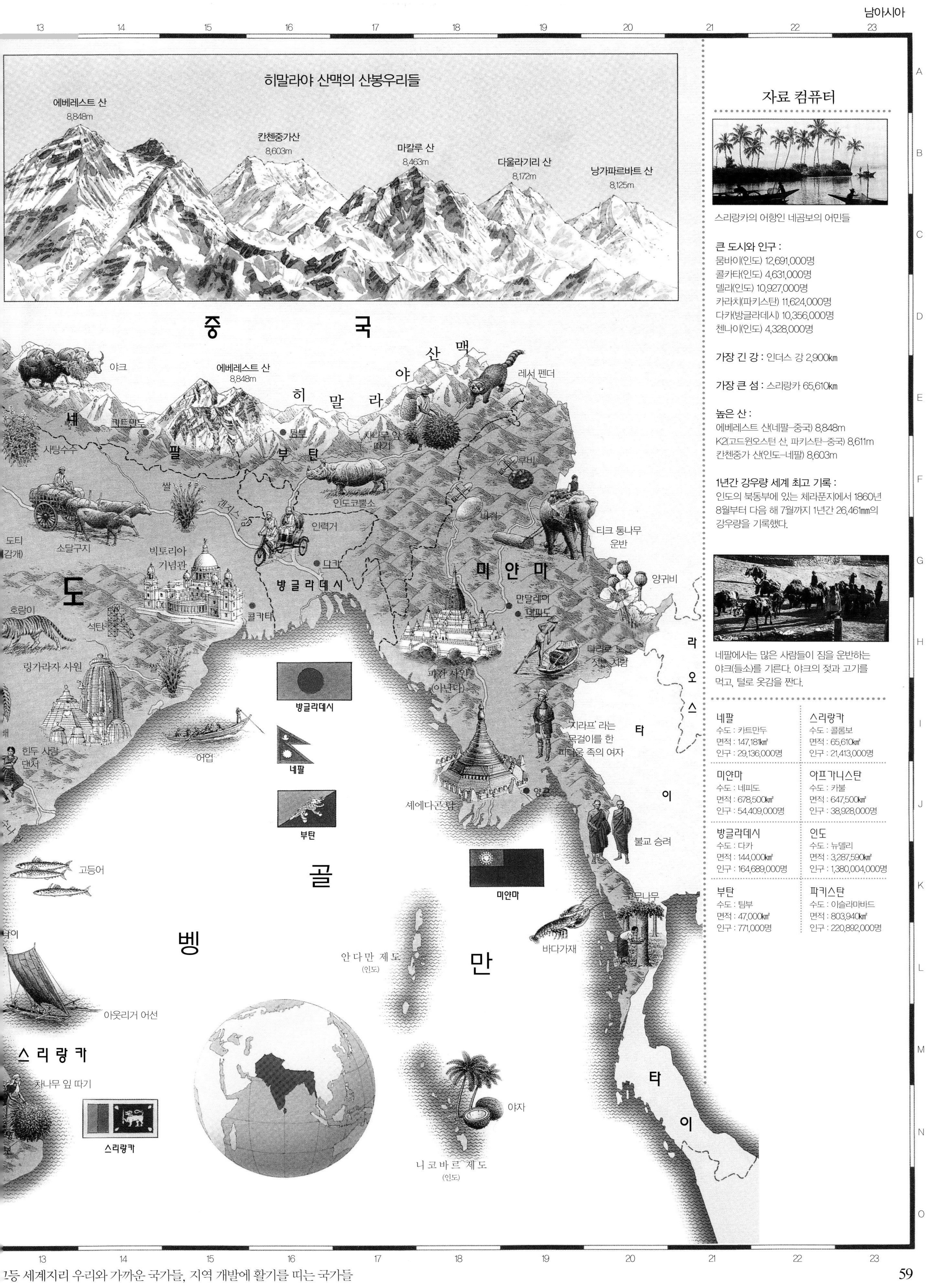

자료 컴퓨터

스리랑카의 어항인 네곰보의 어민들

큰 도시와 인구 :
뭄바이(인도) 12,691,000명
콜카타(인도) 4,631,000명
델리(인도) 10,927,000명
카라치(파키스탄) 11,624,000명
다카(방글라데시) 10,356,000명
첸나이(인도) 4,328,000명

가장 긴 강 : 인더스 강 2,900㎞

가장 큰 섬 : 스리랑카 65,610㎢

높은 산 :
에베레스트 산(네팔-중국) 8,848m
K2(고드윈오스턴 산, 파키스탄-중국) 8,611m
칸첸중가 산(인도-네팔) 8,603m

1년간 강우량 세계 최고 기록 :
인도의 북동부에 있는 체라푼지에서 1860년 8월부터 다음 해 7월까지 1년간 26,461㎜의 강우량을 기록했다.

네팔에서는 많은 사람들이 짐을 운반하는 야크(들소)를 기른다. 야크의 젖과 고기를 먹고, 털로 옷감을 짠다.

국가	수도	면적	인구
네팔	카트만두	147,181㎢	29,136,000명
스리랑카	콜롬보	65,610㎢	21,413,000명
미얀마	네피도	678,500㎢	54,409,000명
아프가니스탄	카불	647,500㎢	38,928,000명
방글라데시	다카	144,000㎢	164,689,000명
인도	뉴델리	3,287,590㎢	1,380,004,000명
부탄	팀부	47,000㎢	771,000명
파키스탄	이슬라마바드	803,940㎢	220,892,000명

동남아시아 *Southeastern Asia*

동남아시아는 가늘고 긴 대륙과 수천 개의 섬으로 이루어져 있다. 세계에서 다섯 번째로 인구가 많은 인도네시아는 13,000여 개의 섬으로, 필리핀은 7,000개 이상의 섬으로 이루어져 있다. 반면에 브루나이는 보르네오 섬 북서 해안에 위치한 작은 나라이다. 석유가 많이 나서 브루나이의 술탄(지도자)은 세계적인 부자로 알려져 있다. 동남아시아의 기후는 일 년 내내 고온다습하고, 몬순 계절에는 비가 많이 내린다. 넓은 지역에 걸쳐 밀림이 뒤덮여 있었지만, 현재는 목재 생산과 농지 확장을 위해 개간되고 있다. 개간된 농지에서는 쌀, 담배, 파인애플, 고무 등이 생산된다. 16세기부터 19세기까지 동남아시아 지역 대부분은 유럽 각국의 식민지로 있다가 20세기 들어 여러 차례의 독립운동 끝에 오늘날에는 모든 나라가 독립을 이루었다.

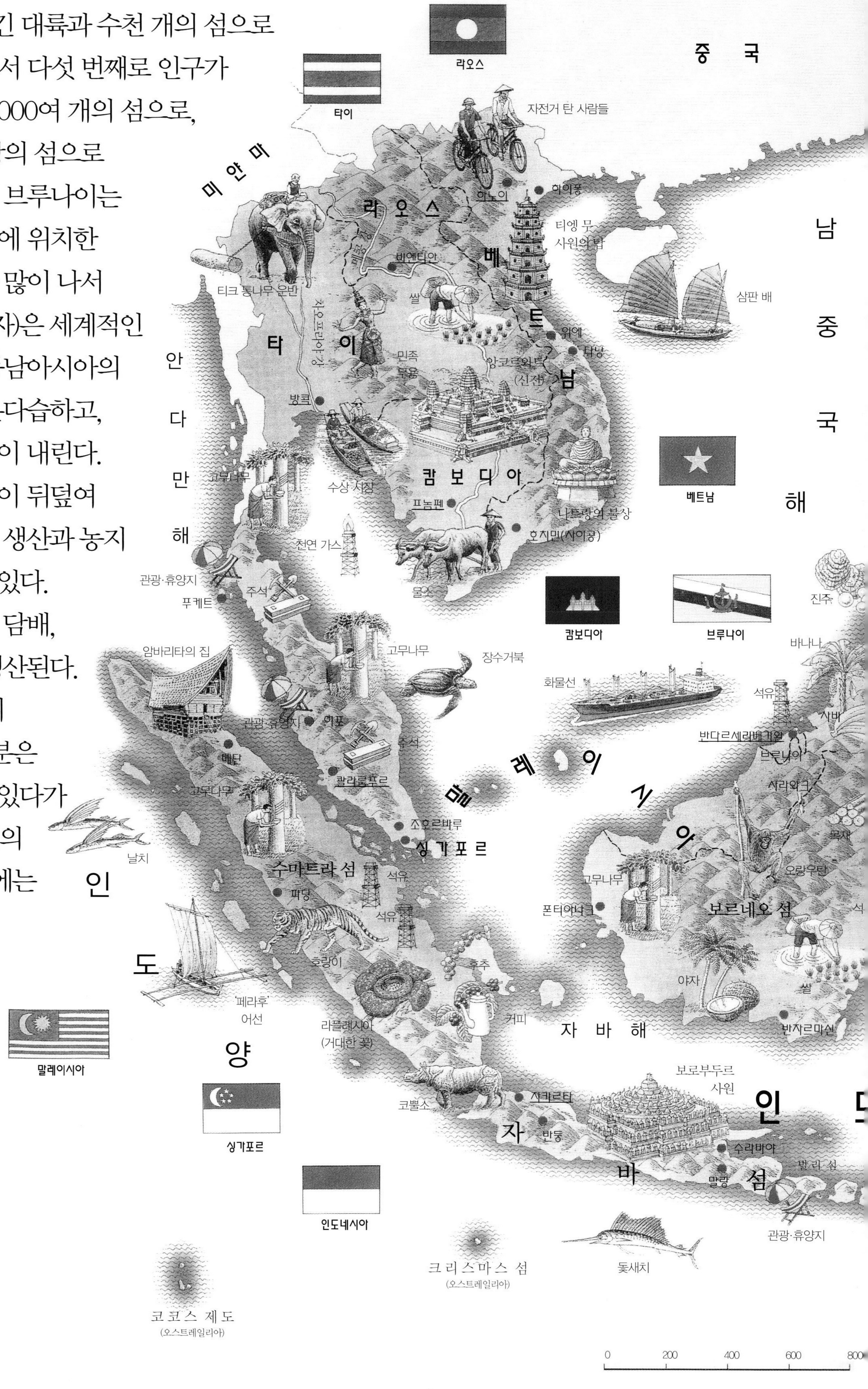

라오스
타이
베트남
캄보디아
브루나이
말레이시아
싱가포르
인도네시아

중국
미얀마
라오스
하노이
하이퐁
티엥 무 사원의 탑
자전거 탄 사람들
비엔티안
베트남
쌀
티크 통나무 운반
차오프라야 강
타이
민족 무용
위에
다낭
앙코르와트(신전)
방콕
수상 시장
캄보디아
프놈펜
나트랑의 불상
호치민(사이공)
천연 가스
물소
삼판 배
남중국해
안다만해
고무나무
관광·휴양지
푸케트
주석
암바리타의 집
고무나무
장수거북
화물선
석유
관광·휴양지
이포
주석
메단
쿠알라룸푸르
말레이시아
반다르세리베가완
브루나이
사라와크
조호르바루
싱가포르
날치
수마트라 섬
석유
파당
석유
오랑우탄
목재
고무나무
폰티아나크
보르네오 섬
인도양
호랑이
후추
'페라후' 어선
야자
쌀
라플레시아(거대한 꽃)
커피
자바해
반자르마신
코뿔소
자카르타
반둥
보로부두르 사원
자바 섬
수라바야
말랑
발리 섬
관광·휴양지
돛새치
크리스마스 섬 (오스트레일리아)
코코스 제도 (오스트레일리아)
0 200 400 600 800

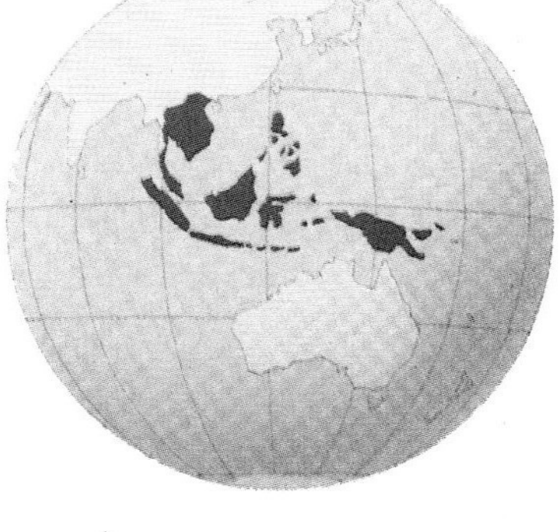

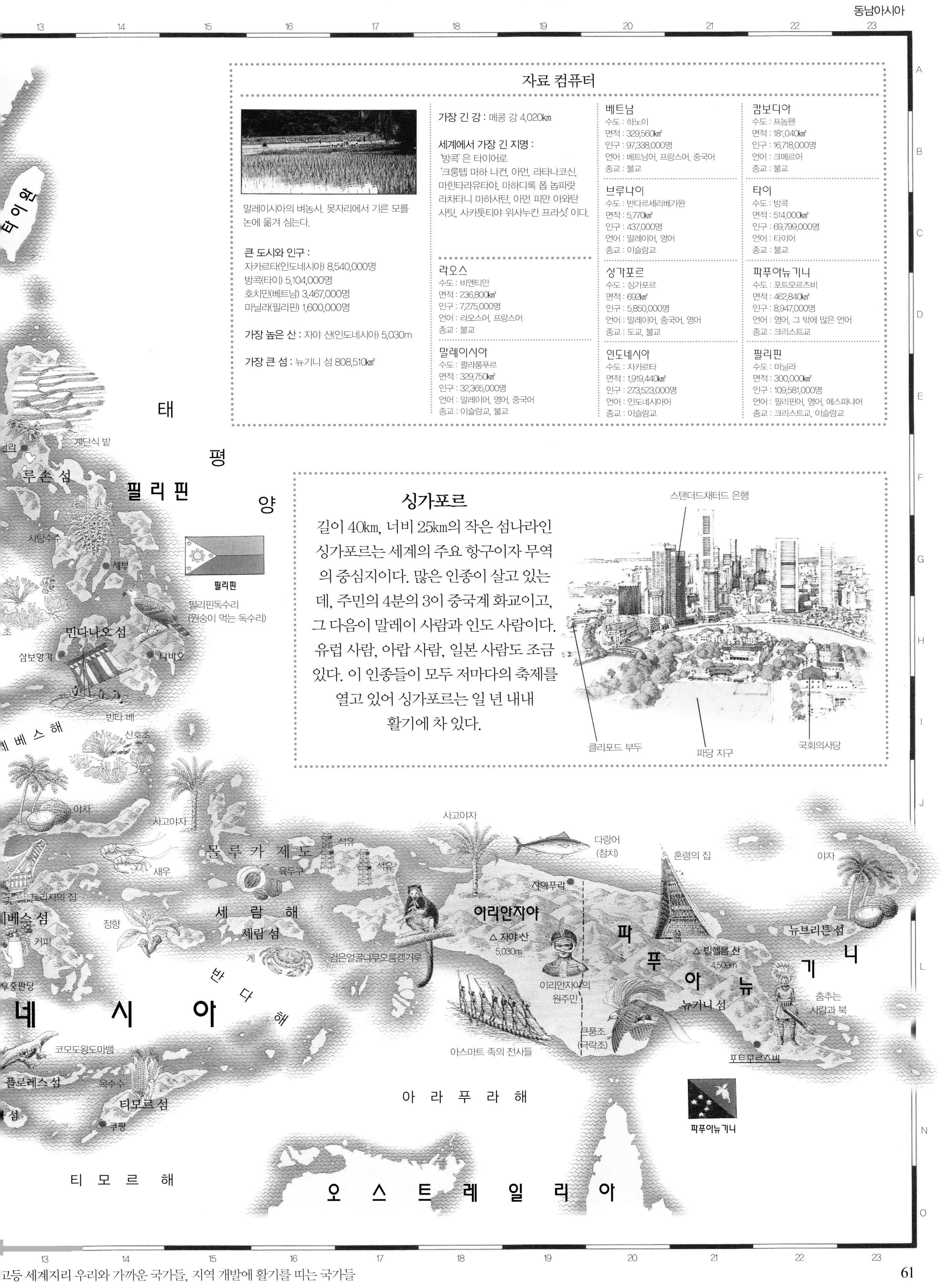

자료 컴퓨터

말레이시아의 벼농사. 못자리에서 기른 모를 논에 옮겨 심는다.

큰 도시와 인구 :
자카르타(인도네시아) 8,540,000명
방콕(타이) 5,104,000명
호치민(베트남) 3,467,000명
마닐라(필리핀) 1,600,000명

가장 높은 산 : 자야 산(인도네시아) 5,030m

가장 큰 섬 : 뉴기니 섬 808,510㎢

가장 긴 강 : 메콩 강 4,020㎞

세계에서 가장 긴 지명 :
'방콕'은 타이어로
'크룽텝 마하 나컨, 아먼, 라타나코신, 마힌타라유타야, 마하디록 폽 놉파랏 라차타니 마하사탄, 아먼 피만 아와탄 사팃, 사카툿티야 위사누칸 프라삿'이다.

라오스
수도 : 비엔티안
면적 : 236,800㎢
인구 : 7,275,000명
언어 : 라오스어, 프랑스어
종교 : 불교

말레이시아
수도 : 콸라룸푸르
면적 : 329,750㎢
인구 : 32,365,000명
언어 : 말레이어, 영어, 중국어
종교 : 이슬람교, 불교

베트남
수도 : 하노이
면적 : 329,560㎢
인구 : 97,338,000명
언어 : 베트남어, 프랑스어, 중국어
종교 : 불교

브루나이
수도 : 반다르세리베가완
면적 : 5,770㎢
인구 : 437,000명
언어 : 말레이어, 영어
종교 : 이슬람교

싱가포르
수도 : 싱가포르
면적 : 692㎢
인구 : 5,850,000명
언어 : 말레이어, 중국어, 영어
종교 : 도교, 불교

인도네시아
수도 : 자카르타
면적 : 1,919,440㎢
인구 : 273,523,000명
언어 : 인도네시아어
종교 : 이슬람교

캄보디아
수도 : 프놈펜
면적 : 181,040㎢
인구 : 16,718,000명
언어 : 크메르어
종교 : 불교

타이
수도 : 방콕
면적 : 514,000㎢
인구 : 69,799,000명
언어 : 타이어
종교 : 불교

파푸아뉴기니
수도 : 포트모르즈비
면적 : 462,840㎢
인구 : 8,947,000명
언어 : 영어, 그 밖에 많은 언어
종교 : 크리스트교

필리핀
수도 : 마닐라
면적 : 300,000㎢
인구 : 109,581,000명
언어 : 필리핀어, 영어, 에스파냐어
종교 : 크리스트교, 이슬람교

싱가포르

길이 40km, 너비 25km의 작은 섬나라인 싱가포르는 세계의 주요 항구이자 무역의 중심지이다. 많은 인종이 살고 있는데, 주민의 4분의 3이 중국계 화교이고, 그 다음이 말레이 사람과 인도 사람이다. 유럽 사람, 아랍 사람, 일본 사람도 조금 있다. 이 인종들이 모두 저마다의 축제를 열고 있어 싱가포르는 일 년 내내 활기에 차 있다.

한반도, 중국과 동북아시아

Korea, China and Northeastern Asia

한반도는 1950년, 6·25전쟁 이후 한국과 북한으로 분단되었다. 나라 안팎으로 통일을 위한 노력을 기울이고 있지만, 여전히 긴장상태에 있다. 북한은 지금도 공산주의 체제를 유지하고 있고, 한국은 현재 세계적인 산업국가로 성장해 있다. 인구 13억이 넘는 중국은 세계에서 인구가 가장 많은 나라이면서 러시아와 캐나다에 이어 세계에서 셋째로 국토가 넓은 나라이다. 사람들은 습도가 알맞고 농사짓기에 좋은 동부에서 많이 살고 있다. 중국은 오랜 내전 뒤 1949년에 마오쩌둥(모택동)이 공산주의 정권을 세우고, 내전에 패한 국민당은 타이완에 공산주의 정권에 대항하는 중화민국을 세웠다. 영국의 식민지였던 홍콩, 포르투갈의 식민지였던 마카오는 각각 1997년, 1999년에 중국에 반환되었다. 중국 남서부의 고지에 있는 티베트는 평균 높이가 해발 4,500m나 된다. 세계에서 가장 높은 히말라야 산맥이 티베트와 인도의 경계에 있다.

자금성

중국의 수도 베이징의 중앙부에 천안문이 있다. 천안문 안에는 중국의 황제들이 1421년부터 1911년까지 군림한 옛 궁전이 있고, 중심부에는 높은 벽과 해자가 황제의 궁전을 둘러쌌다. 일반인의 출입을 금지해서 자금성이라고 불리었는데, 지금은 개방되었다.

자료 컴퓨터

중국의 만리장성은 침략자들로부터 북쪽 국경을 지키기 위해 쌓았다. 길이가 3,460km에 이른다.

가장 긴 강 :
양쯔 강 6,300km

가장 큰 도시와 인구 :
상하이(중국) 22,315,000명

옛날 중국 수도 난징에 있는 조천궁의 문

대한민국
수도 : 서울
면적 : 99,020㎢
인구 : 51,778,000명
언어 : 한국어
종교 : 불교, 크리스트교, 유교
통화 : 원
정체 : 공화제

몽고
수도 : 울란바토르
면적 : 1,565,000㎢
인구 : 3,278,000명
언어 : 몽고어
종교 : 불교, 라마교, 이슬람교
통화 : 투그릭
정체 : 공화제

북한
수도 : 평양
면적 : 120,540㎢
인구 : 25,778,000명
언어 : 한국어
종교 : 불교, 유교, 도교
통화 : 원
정체 : 공산주의 공화제

중국
수도 : 베이징
면적 : 9,596,976㎢
인구 : 1,439,323,000명
언어 : 중국어
종교 : 유교, 불교, 도교, 이슬람교
통화 : 위안
정체 : 공산주의 공화제

타이완
중심 도시 : 타이베이
면적 : 36,179㎢
인구 : 23,816,000명
언어 : 중국어
종교 : 불교, 도교, 크리스트교
통화 : (타이완) 위안
정체 : 공화제

일본 *Japan*

네 개의 큰 섬(홋카이도, 혼슈, 시코쿠, 규슈)과 수천 개의 작은 섬으로 이루어진 일본은 지각의 두 판이 만나는 지역에 있어서 지진이 자주 일어난다. 국토의 4분의 3 정도가 숲에 덮여 있어서 농사짓기에 알맞은 땅이 적지만, 효율적으로 농사를 짓고 있다. 주요 농산물은 쌀이다. 많은 땅에서 곡식을 생산하지 못하기 때문에 일본 사람들은 생선을 많이 먹는다. 일본은 세계적인 어업 국가이다. 사람들은 주로 해안 근처의 평야에서 살고 있다. 특히 혼슈의 남쪽 해안에 있는 도쿄, 오사카, 나고야 같은 대도시는 인구 밀도가 높고, 경제 활동이 활발하다. 2차 세계대전에서 패한 뒤 일본은 세계적인 공업국으로 성장했다. 공업 생산에 필요한 석유, 그 밖의 원료, 에너지 자원을 수입해 자동차, 전기 제품, 카메라, 그 밖의 많은 제품을 생산, 세계로 수출하고 있다.

교토

혼슈 섬에 있는 대도시 교토는 일본의 문화 중심지이다. 과거 1,000년 이상 일본의 수도였던 탓에 성지, 절, 정원, 옛 건축물 등 역사적인 보물들이 많다. 해마다 수천만 명의 관광객들이 교토를 찾는다.

홋카이도
쿠릴 열도
참수리
고기잡이 올빼미
목재
아이누 족의 정장
네무로
제지
대구
두루미
송어
구시로
일본
불곰
도카치 강
눈 축제
석탄
삿포로
후지 산
감자
폴락(대구의 일종)
무로란
어선
하코다테
태
꽁치
스텝놀랩가자미
아오모리
사과
분재
안초비 (멸치의 일종)
고등어
일본 술
모리오카
아키타
벼농사
일
굴
유도
전통적인 일본 인형
단오절의 고기 깃발
센다이
정어리
평
후쿠시마
석탄

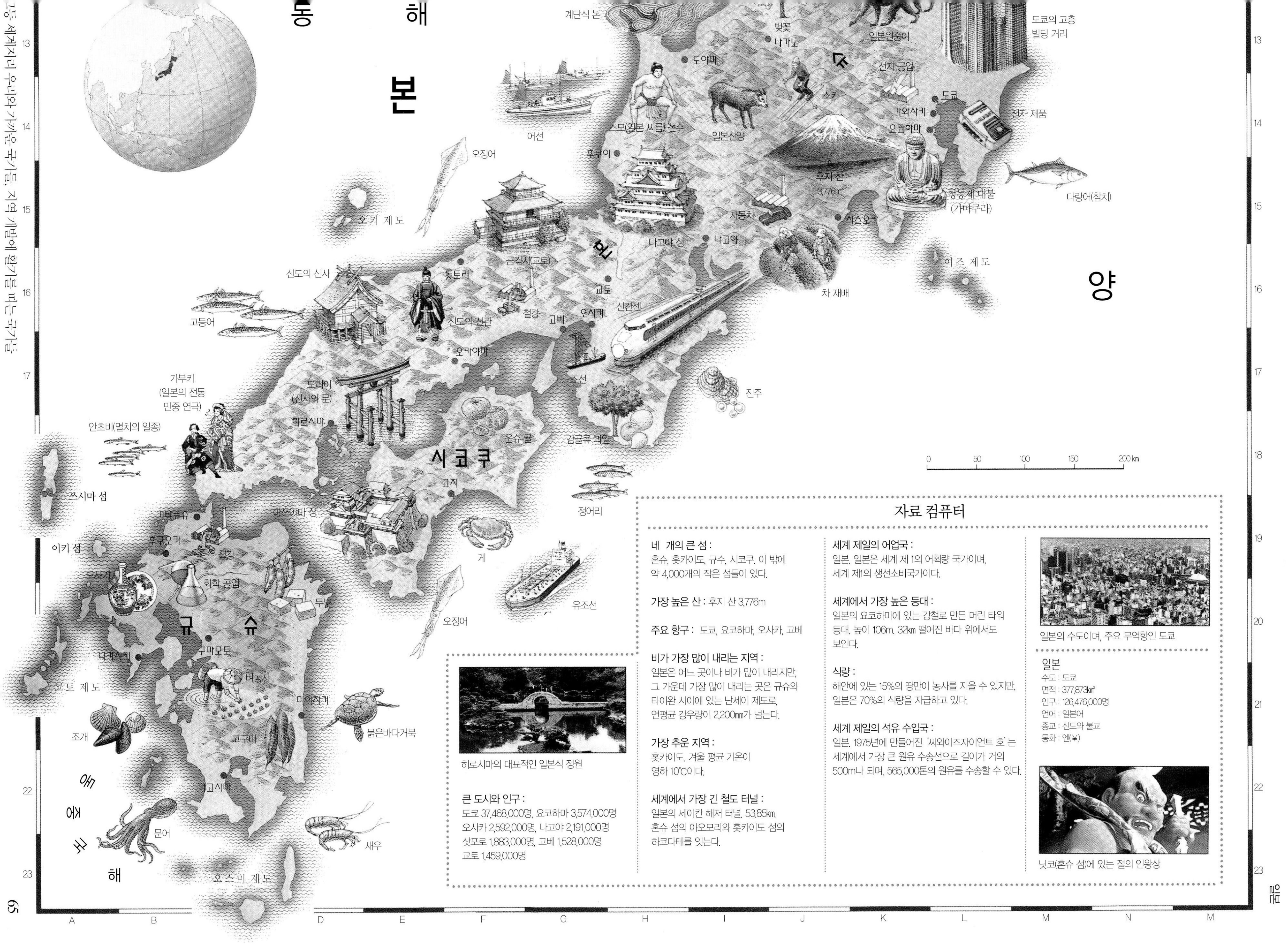

자료 컴퓨터

네 개의 큰 섬 :
혼슈, 홋카이도, 규슈, 시코쿠. 이 밖에 약 4,000개의 작은 섬들이 있다.

가장 높은 산 : 후지 산 3,776m

주요 항구 : 도쿄, 요코하마, 오사카, 고베

비가 가장 많이 내리는 지역 :
일본은 어느 곳이나 비가 많이 내리지만, 그 가운데 가장 많이 내리는 곳은 규슈와 타이완 사이에 있는 난세이 제도로, 연평균 강우량이 2,200㎜가 넘는다.

가장 추운 지역 :
홋카이도, 겨울 평균 기온이 영하 10℃이다.

세계에서 가장 긴 철도 터널 :
일본의 세이칸 해저 터널. 53.85㎞. 혼슈 섬의 아오모리와 홋카이도 섬의 하코다테를 잇는다.

세계 제일의 어업국 :
일본. 일본은 세계 제 1의 어획량 국가이며, 세계 제1의 생선소비국가이다.

세계에서 가장 높은 등대 :
일본의 요코하마에 있는 강철로 만든 머린 타워 등대. 높이 106m. 32㎞ 떨어진 바다 위에서도 보인다.

식량 :
해안에 있는 15%의 땅만이 농사를 지을 수 있지만, 일본은 70%의 식량을 자급하고 있다.

세계 제일의 석유 수입국 :
일본. 1975년에 만들어진 '씨와이즈자이언트 호'는 세계에서 가장 큰 원유 수송선으로 길이가 거의 500m나 되며, 565,000톤의 원유를 수송할 수 있다.

히로시마의 대표적인 일본식 정원

큰 도시와 인구 :
도쿄 37,468,000명, 요코하마 3,574,000명
오사카 2,592,000명, 나고야 2,191,000명
삿포로 1,883,000명, 고베 1,528,000명
교토 1,459,000명

일본의 수도이며, 주요 무역항인 도쿄

일본
수도 : 도쿄
면적 : 377,873㎢
인구 : 126,476,000명
언어 : 일본어
종교 : 신도와 불교
통화 : 엔(¥)

닛코(혼슈 섬)에 있는 절의 인왕상

이집트 카이로에 있는
무하마드 알리 모스크

아프리카 *Africa*

남아프리카 공화국에 있는
노천 채굴 광산

가장 더운 대륙이자 세계에서 둘째로 큰 대륙인 아프리카는 적도에서 남북으로 약 4,000㎞나 뻗어 있다. 적도 근처는 고온다습한 기후로 인해 열대 우림이 우거져 있지만, 지금은 무분별한 벌목으로 많이 황폐해졌다. 적도에서 멀어질수록 기후는 건조해져서 열대 우림이 '사바나' 라는 열대 초원으로 변한다. 사바나에서는 수천 년 동안 가젤, 누, 얼룩말, 코끼리, 기린 등의 초식 동물과 사자, 표범, 하이에나 등의 육식동물이 살고 있다. 현재는 사냥, 농지 개간 등의 이유로 야생동물이 많이 줄었고, 아프리카코끼리 등 몇몇 동물들은 멸종 위기에 놓여 있다.
적도에서 사바나보다 더 먼 북쪽에는 세계에서 가장 큰 사하라 사막이, 남쪽에는 칼라하리 사막과 나미브 사막이 있다. 아프리카는 대륙 전체가 거대한 고원으로, 산지는 거의 없다. 고원 둘레 곳곳에는 좁은 해안 평야가 있다. 아프리카 동쪽 해안 밖에 있는 마다가스카르 섬은 5,000만 년 전에 아프리카 대륙에서 떨어져 나갔다. 이 섬은 고립되어 있어서 독특한 식물과 동물이 진화했다. 몸은 원숭이와 비슷하고, 코는 여우 코와 비슷한 여우원숭이가 이곳에서만 20여 종 발견되었다.

카메룬의 열대 식물

아프리카 자료 컴퓨터

면적 : 30,370,000㎢

인구 : 1,340,598,000명

독립 국가 수 : 53개국(대륙 가운데 가장 많다)

면적이 넓은 나라 : 수단 2,505,810㎢
알제리 2,381,740㎢

인구가 많은 나라 : 나이지리아 206,139,000명
이집트 102,334,000명,
에티오피아 114,963,000명

큰 도시와 인구 :
카이로(이집트) 7,734,000명
킨샤사(콩고민주공화국) 7,785,000명
알렉산드리아(이집트) 3,811,000명

높은 산 :
킬리만자로 산(탄자니아) 5,895m
케냐 산(케냐) 5,199m
루웬조리 산(우간다–콩고민주공화국) 5,109m
라스다샨 산(에티오피아) 4,620m

긴 강 : 나일 강 6,671㎞(세계에서 가장 길다)
콩고(자이르) 강 4,370㎞, 나이저 강 4,180㎞
잠베지 강 2,740㎞

큰 호수 :
빅토리아 호 69,400㎢
탕가니카 호 32,900㎢
니아사 호 28,750㎢
차드 호 10,000~26,000㎢
(계절에 따라 면적이 변한다)

주요 사막 :
사하라 사막 약 9,000,000㎢(세계에서 가장 크다)
칼라하리 사막 약 517,998㎢

큰 섬 : 마다가스카르 섬 587,041㎢
레위니옹 섬 2,510㎢

세계에서 가장 높은 모래 언덕 :
사하라 사막에서는 높이가 430m,
길이가 5㎞나 되는 모래 언덕이 생긴다.

세계에서 가장 높은 기온 :
1922년, 리비아의 알아지지아에서는
그늘에서 기온이 섭씨 58도에 이르렀다.

세계에서 가장 큰 인공 호수 :
볼타 호(가나) 8,482㎢(아코솜보 댐에 의해
생긴 호수이다)

유 럽
대
서
양
지 중 해
시 드 라 만
지브롤터 해협
아틀라스산맥
마데이라 제도
카나리아 제도
사 하 라 사 막
티베스티 산지
누비아 사막
홍 해
아시아
아라비아 반도
아라비아 해
아덴 만
소코트라 섬
카보 베르데
나이저 강
사 헬
볼타 호
기 니 만
비오코 섬
프린시페 섬
상투메 섬
에리트리아
어센션 섬
킬리만자로 산
세이셸 제도
잔지바르
코모로 제도
인
도
양
세인트헬레나 섬
칼라하리 사막
모잠비크 해협
모리셔스
레위니옹 섬
희 망 봉
트리스탄다쿠냐 섬

아프리카 북부 *Northern Africa*

아프리카 북부에는 광활한 사하라 사막이 펼쳐져 있다. 이곳에서는 얼마 안 되는 유목민들이 양과 낙타 무리와 함께 떠돌아다닌다. 습도가 높아 감귤류의 과일과 포도, 대추야자가 재배되는 사막 북쪽의 지중해 연안 지역에는 농업국인 이집트와 수단, 석유와 천연 가스가 풍부한 리비아와 알제리가 있다. 사하라 사막 남쪽에는 '사헬' 이라는 반사막 지대가 넓게 펼쳐져 있는데, 이곳에 모리타니, 말리, 부르키나파소, 니제르, 차드 등 세계에서 가장 가난한 나라들이 심한 굶주림에 시달리고 있다. 나이지리아, 가나, 베냉, 코트디부아르 등이 있는 서쪽 해안 지역은 땅이 기름져서 커피, 땅콩, 카카오 등이 재배된다.

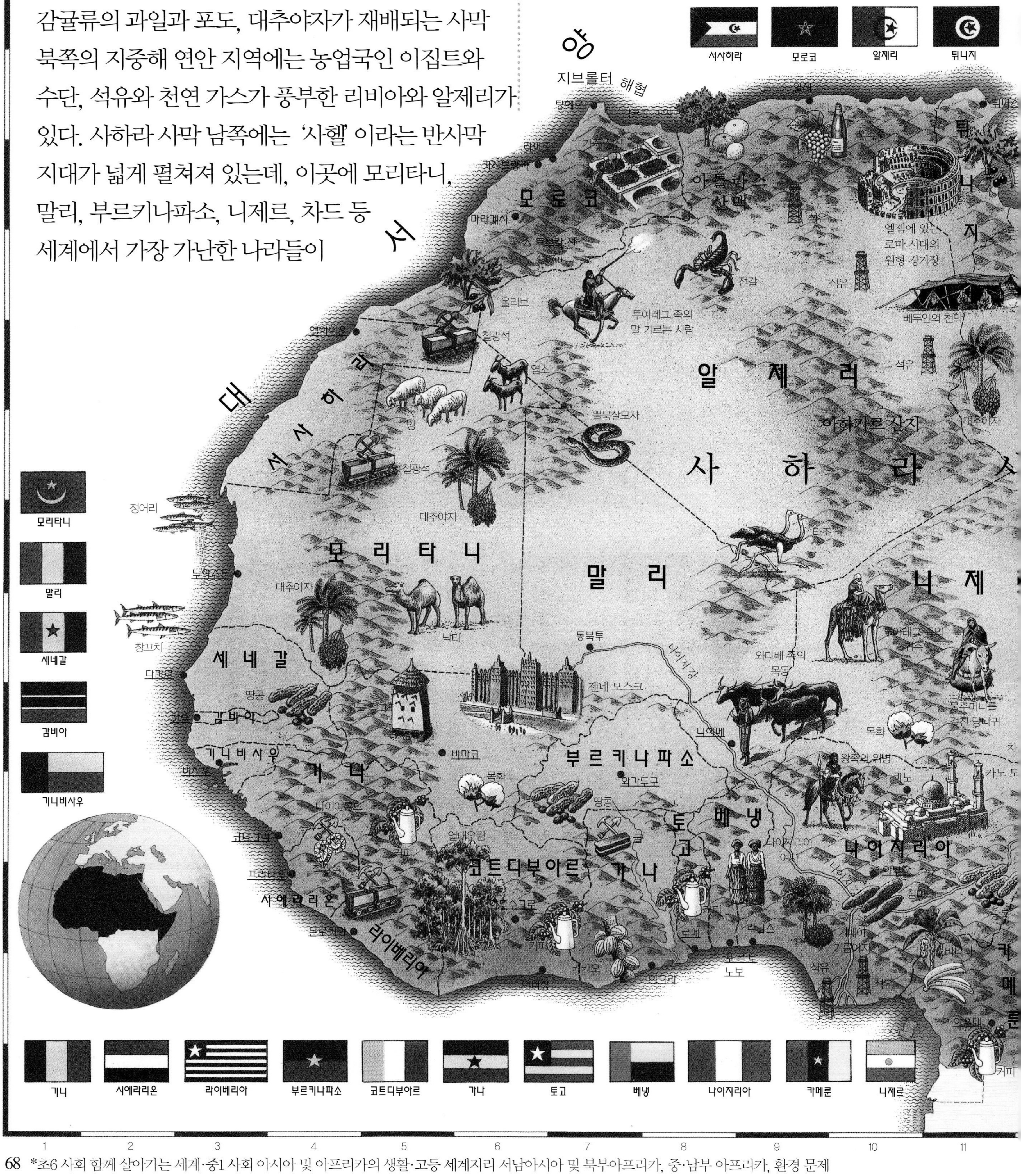

피라미드와 스핑크스

기원전 2,500년경에 만들어진 고대 이집트의 피라미드에는 미라가 된 파라오(왕)의 시체를 묻었다. 기자에 있는 세 개의 거대한 피라미드 중에서 대피라미드는 200만 개 이상의 돌로 쌓았다. 스핑크스는 카프레 왕의 유체를 지키기 위한 것이다.

자료 컴퓨터

이집트의 항구 도시 포트사이드는 지중해와 홍해를 잇는 수에즈 운하의 지중해 쪽 입구에 있다.

가장 긴 강 :
나일 강 6,671㎞

높은 산 :
라스다샨 산(에티오피아) 4,620m

가장 큰 호수 :
차드 호 10,000~26,000㎢
(계절에 따라 면적이 변한다)

가나	수도 : 아크라
감비아	수도 : 반줄
기니	수도 : 코나크리
기니비사우	수도 : 비사우
나이지리아	수도 : 아부자
니제르	수도 : 니아메
라이베리아	수도 : 몬로비아
리비아	수도 : 트리폴리
말리	수도 : 바마코
모리타니	수도 : 누악쇼트
모로코	수도 : 라바트
베냉	수도 : 포르토노보
부르키나파소	수도 : 와가두구
서사하라	중심 도시 : 엘아이운
세네갈	수도 : 다카르
소말리아	수도 : 모가디슈
수단	수도 : 카르툼
시에라리온	수도 : 프리타운
알제리	수도 : 알제
에리트레아	수도 : 아스마라
에티오피아	수도 : 아디스아바바
이집트	수도 : 카이로
중앙아프리카 공화국	수도 : 방기
지부티	수도 : 지부티
차드	수도 : 은자메나
카메룬	수도 : 야운데
코트디부아르	수도 : 야무수크로
토고	수도 : 로메
튀니지	수도 : 튀니스

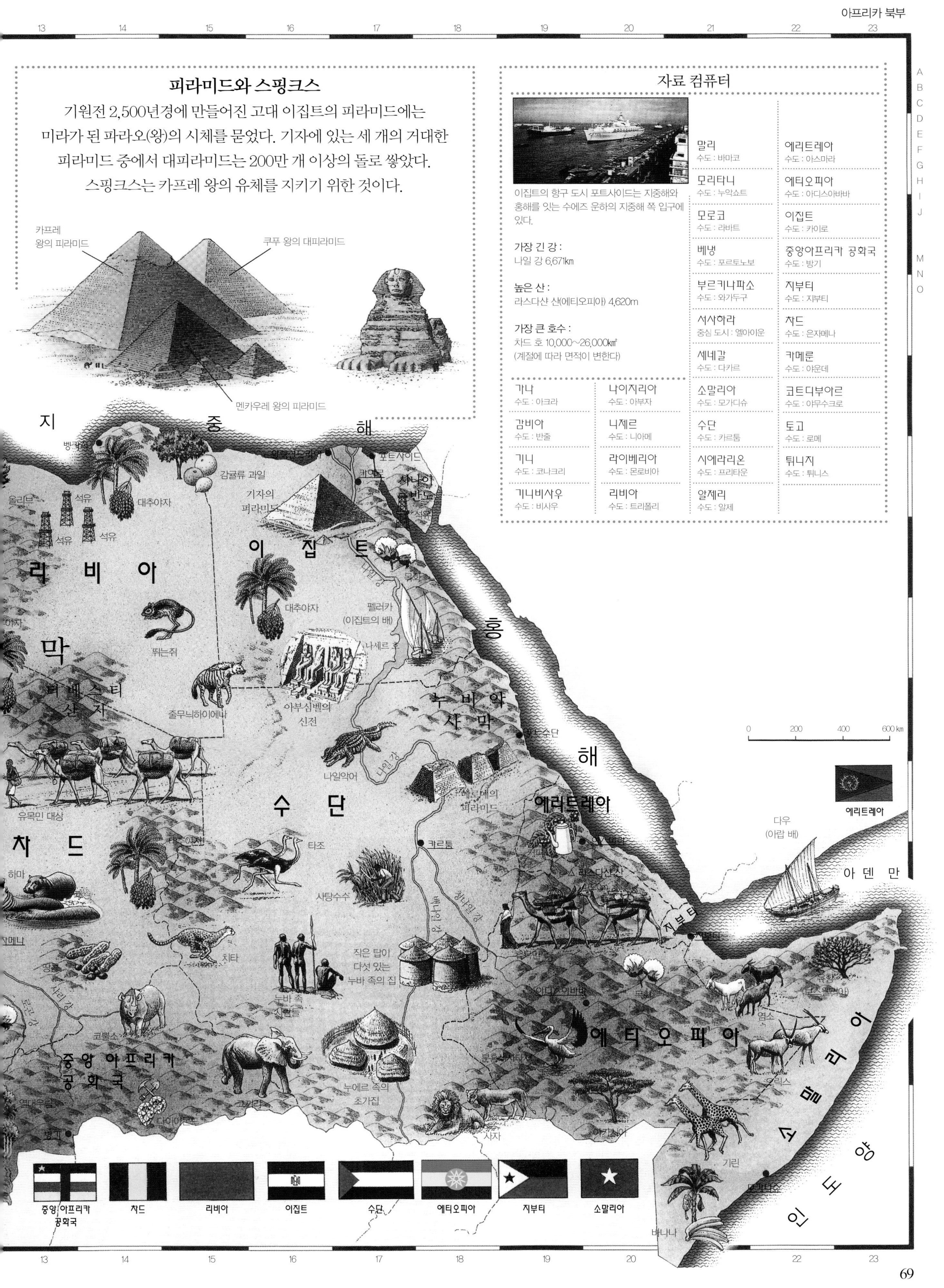

아프리카 남부

Southern Africa

아프리카 남부는 자연환경과 인종이 매우 다양하다. 북서쪽에는 콩고 분지의 열대 우림이 있고, 동쪽에는 꼭대기가 만년설로 덮인 케냐 산, 킬리만자로 산이 솟아 있는 높은 초원 지대가 있어 야생 동물들이 큰 무리를 지어 돌아다닌다. 케냐, 우간다, 탄자니아는 기름진 농지가 있어 커피, 차, 옥수수, 면화 등을 재배하고, 앙골라, 잠비아, 짐바브웨에서는 다이아몬드, 철, 구리가 많이 난다. 이 나라들 남쪽에 있는 칼라하리 사막은 보츠와나와 나미비아의 대부분을 차지하고 있다. 그 밑에는 다이아몬드와 금으로 유명한 남아프리카 공화국이 있다.

남아프리카는 대부분 독자적으로 발전해 왔다. 하지만 1800년대 후반, 유럽 각국의 지배를 받으면서 아프리카의 다양한 문화가 훼손되었다. 1960년대 이후부터 여러 나라들이 독립을 쟁취했는데, 남아프리 공화국은 수십 년 동안 백인 소수 정권 아래에서 인종 차별 정책을 겪은 뒤 1994년에야 역사상 처음 자유선거가 실시되어 흑인인 넬슨 만델라가 대통령으로 뽑혔다. 그리고 1996년에 새로운 민주 헌법이 정식으로 발효되었다.

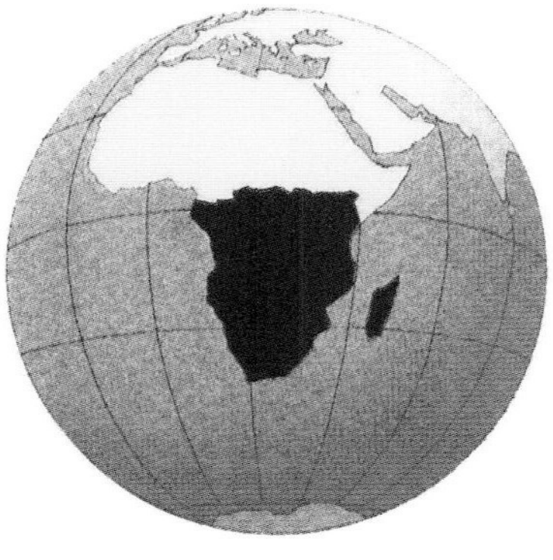

 *초6 사회 함께 살아가는 세계·중1 사회 아시아 및 아프리카의 생활·고등 세계지리 서남아시아 및 북부아프리카, 중·남부 아프리카, 환경 문제

수 단
에 티 오 피 아
소 말 리 아
케 냐
우 간 다
탄 자 니 아
말 라 위
모 잠 비 크
짐 바 브 웨
마 다 가 스 카 르
인 도 양
모잠비크 해협
잔지바르 섬
코모로 섬
마요트 섬
(프랑스)
알 다 브 라
제 도
투르카나 호
빅토리아 호
탕가니카 호
말라위 호
카리바 호
캄팔라
나이로비
키갈리
부줌부라
도도마
다르에스살람
몸바사
릴롱궤
블랜타이어
하라레
베이라
마푸토
음바바네
안타나나리보
킬리만자로 산
5,895m
케냐 산
5,199m
마사이 족
목동
누(영양의 일종)
코끼리
사자
야자
커피
목화
치타
관광·휴양지
차
표범
코뿔소
코끼리
망고
바나나
다우
(아랍 배)
땅거북
여우원숭이
긴꼬리땅파랑새
바닐라 열매
바오밥나무
카멜레온
검은여우원숭이
문어나무
실러캔스
새우
캐슈 열매
기린
줄루 족
감귤류 과일
더반
바다가재
파인애플
우간다
케냐
르완다
부룬디
탄자니아
코모로
말라위
짐바브웨
모잠비크
마다가스카르
스와질란드
레소토
자료 컴퓨터
케냐 평원의 얼룩말. 사냥으로 그 수가 크게 줄었다.
높은 산 :
킬리만자로 산(탄자니아) 5,895m
케냐 산(케냐) 5,199m
긴 강 :
콩고(자이르) 강 4,730km
잠베지 강 2,740km
큰 호수 :
빅토리아 호 69,400㎢
탕가니카 호 32,900㎢
가장 깊은 호수 : 탕가니카 호 1,435m
큰 도시와 인구 :
킨샤사(콩고민주공화국) 7,785,000명
케이프타운(남아프리카 공화국) 3,433,000명
가봉 수도 : 리브르빌
스와질란드 수도 : 음바바네
나미비아 수도 : 빈트후크
앙골라 수도 : 루안다
남아프리카 공화국 수도 : 츠와니
우간다 수도 : 캄팔라
레소토 수도 : 마세루
잠비아 수도 : 루사카
르완다 수도 : 키갈리
적도 기니 수도 : 말라보
마다가스카르 수도 : 안타나나리보
짐바브웨 수도 : 하라레
말라위 수도 : 릴롱궤
케냐 수도 : 나이로비
모잠비크 수도 : 마푸토
코모로 수도 : 모로니
보츠와나 수도 : 가보로네
콩고 수도 : 브라자빌
부룬디 수도 : 부줌부라
콩고 민주공화국 수도 : 킨샤사
상투메프린시페 수도 : 상투메
탄자니아 수도 : 도도마
대지구대(동아프리카 대지구대, 리프트 밸리)
지구의 지각이 가장 크게 갈라진 대지구대는 북쪽 시리아부터 홍해를 지나 남쪽 모잠비크까지 8,700km나 뻗어 있다. 지구대의 모습이 가장 웅장한 곳은 동아프리카이다. 케냐에는 직선으로 1,250m나 높이 솟아 있는 계곡의 절벽이 있다.

오세아니아 *Australasia*

뉴질랜드의 조각된 마오리족의 모습

오세아니아는 오스트레일리아와 뉴기니 섬, 뉴질랜드, 그리고 태평양에 흩어져 있는 수천 개의 작은 섬들로 이루어져 있다. 오스트레일리아, 뉴질랜드, 뉴기니 섬은 한때 아프리카, 인도 등과 하나의 대륙을 이루다가 수백만 년 지나는 동안에 쪼개져 태평양으로 떨어져 고립되었다. 때문에 캥거루, 왈라비, 코알라 같은 유대 포유동물(주머니 달린 포유동물), 뉴질랜드의 키위, 올빼미앵무새 같은 날지 못하는 새 등 다른 곳에서는 볼 수 없는 동식물들이 독특하게 진화했다.
태평양의 섬들은 위치에 따라 폴리네시아, 미크로네시아, 멜라네시아로 나뉜다. 폴리네시아는 하와이 제도를 포함한 태평양 중앙부의 섬들이다. 석기 시대에 피부가 검지 않은 폴리네시아 사람들이 작은 카누를 타고 별의 위치와 파도의 모양을 보면서 태평양을 누볐는데, 뉴질랜드의 마오리족은 서기 900년경에 뉴질랜드에 정착한 폴리네시아 사람들의 후손이다.
미크로네시아는 태평양 서부에 있다. 미크로네시아 사람들도 항해를 잘 하여 그 지역에서 널리 무역을 했다. 멜라네시아는 미크로네시아 남쪽에 있다. 오스트레일리아에 가장 가까운 섬들에서 살고 있는 검은 피부의 멜라네시아 사람들은 오스트레일리아의 '아보리진' 이라는 원주민과 같은 종족이다. 유럽 사람들의 오세아니아 식민지 개척은 18세기에 시작되었다. 지금 오스트레일리아와 뉴질랜드에서 살고 있는 사람들은 대부분 영국에서 온 식민지 개척자들의 후손이다. 최근에는 영국뿐만 아니라 세계 각국에서 사람들이 이주해 오고 있다.

오세아니아 자료 컴퓨터

면적 : 8,500,000㎢(대륙들 가운데 가장 작은 대륙으로, 세계 육지 면적의 6퍼센트에 불과하다)

인구 : 42,677,000명(남극 대륙을 빼면 대륙 가운데 인구가 가장 적다)

독립 국가 수 : 14개국

면적이 넓은 나라 : 오스트레일리아 7,686,850㎢

인구가 많은 나라 : 오스트레일리아 25,499,000명

큰 도시와 인구 :
시드니(오스트레일리아) 4,627,000명
멜버른(오스트레일리아) 4,246,000명
브리즈번(오스트레일리아) 2,189,000명
퍼스(오스트레일리아) 1,896,000명
애들레이드(오스트레일리아) 1,225,000명
오클랜드(뉴질랜드) 417,000명

높은 산 :
빌헬름 산(파푸아뉴기니) 4,694m
아오라키 산[쿡 산(뉴질랜드)] 3,754m
코지어스코 산(오스트레일리아) 2,230m

긴 강 :
머리 강-달링 강(오스트레일리아) 3,750㎞

큰 호수 :
에어 호 9,583㎢, 게어드너 호 7,770㎢, 토런스 호 5,780㎢(모두 오스트레일리아. 크기가 계절에 따라 변한다. 위의 크기는 가장 커졌을 때이다.)

큰 사막 :
기브슨 사막, 그레이트샌디 사막, 그레이트빅토리아 사막, 심프슨 사막(모두 오스트레일리아)

큰 섬 : 뉴기니 섬 808,510㎢
뉴질랜드의 남 섬 151,971㎢

세계에서 가장 오래 된 암석 :
오스트레일리아 남서쪽의 도시 퍼스 근처에 있는 잭힐에서 발견된 지르콘 수정. 43억 년 되었다.

 *초6 사회 함께 살아가는 세계·중1 사회 아메리카 및 오세아니아의 생활·고등 세계지리 오스트레일리아와 뉴질랜드, 환경 문제

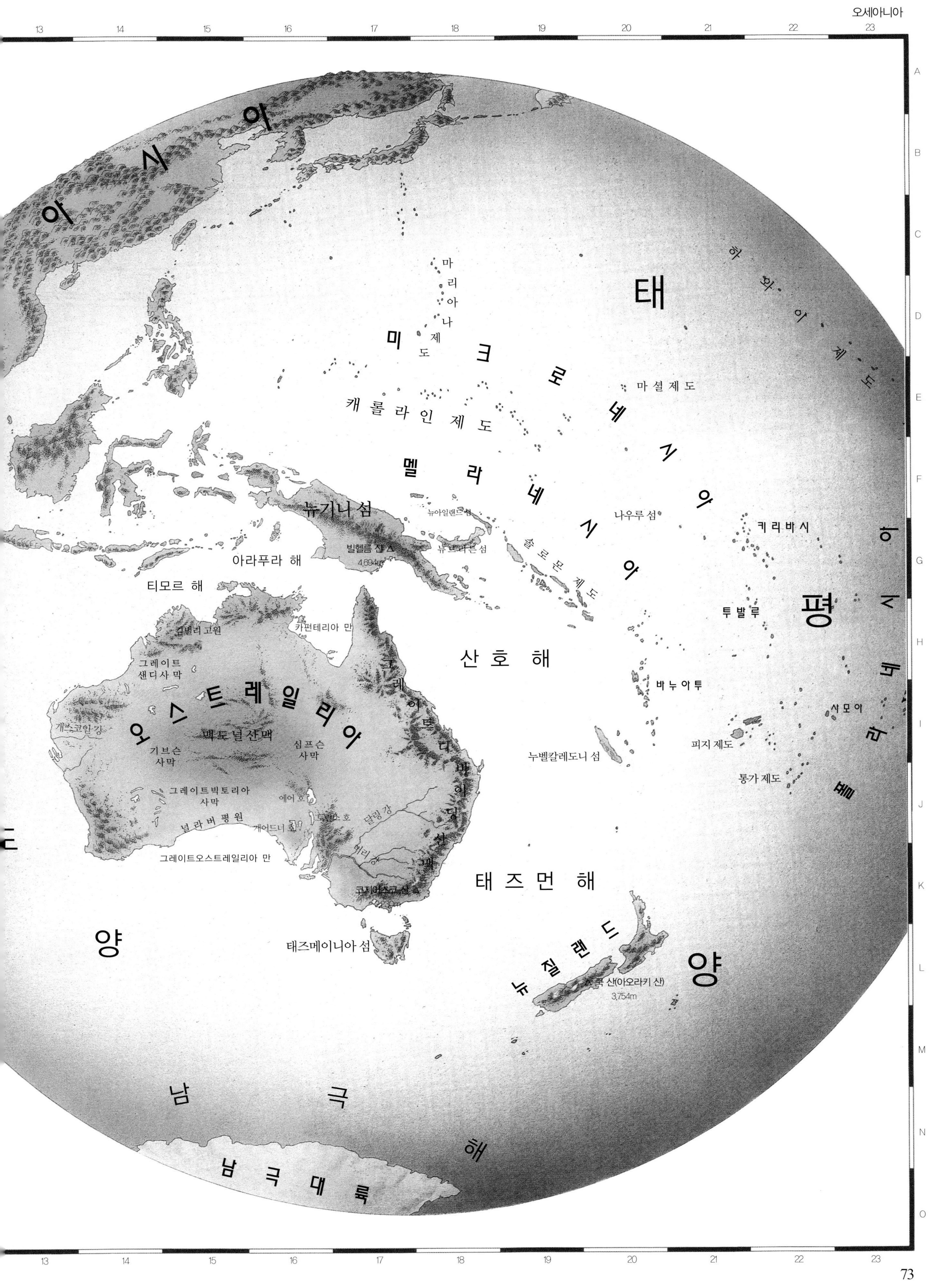
아시아
태평양
마리아나 제도
미크로네시아
마셜 제도
캐롤라인 제도
하와이 제도
멜라네시아
폴리네시아
뉴기니 섬
뉴아일랜드 섬
나우루 섬
키리바시
빌헬름 산
4,694m
뉴브리튼 섬
솔로몬 제도
아라푸라 해
티모르 해
투발루
카펀테리아 만
킴벌리 고원
산호 해
그레이트 샌디 사막
오스트레일리아
그레이트디바이딩 산맥
바누아투
사모아
맥도널 산맥
기브슨 사막
심프슨 사막
누벨칼레도니 섬
피지 제도
통가 제도
그레이트빅토리아 사막
에어 호
널라버 평원
개어드너 호
달링 강
머리 강
그레이트오스트레일리아 만
태즈먼 해
코지어스코 산
태즈메이니아 섬
뉴질랜드
쿡 산(아오라키 산)
3,754m
남극해
남극대륙

오스트레일리아 *Australia*

오스트레일리아는 하나의 나라이면서 하나의 대륙이다. 국토의 대부분을 차지하는 중앙부는 덥고 건조한 사막 지대이다. 이 지역은 인구는 많지 않지만, 양과 소를 많이 기르는 큰 목장들이 있고, 광산도 좀 있다. 이에 반해 그레이트디바이딩 산맥 동쪽과 태즈메이니아 섬은 강우량이 비교적 많아 인구의 대부분이 여기에서 살고 있다. 그중에서도 특히 시드니, 멜버른, 브리즈번 같은 대도시에서 많이 산다. 오스트레일리아는 수백만 년 전 다른 대륙에서 떨어져 나왔다. 그래서 많은 동식물이 독특하게 진화해 캥거루, 웜뱃 등 다른 곳에서는 볼 수 없는 동식물들이 많다. 오스트레일리아에서 처음으로 산 사람은 약 4만 년 전에 이곳에 도착한 아보리진이라는 종족이었다. 하지만 약 200년 전, 유럽 사람들의 오스트레일리아 식민지 개척이 시작되면서 유럽인들이 많이 이주해 왔다. 1945년 이후는 세계 각지에서 사람들이 이주하여 인구가 배로 늘었다.

대보초

대보초는 퀸즐랜드 주의 해안을 따라 2,000km에 걸쳐 있는 약 2,500개의 산호초와 산호섬들이 만든 거대한 미로이다. 300종 이상의 산호와 수천 종의 물고기가 여기에서 살고 있다. 산호는 수백만 마리의 '폴립'(산호충)이라는 아주 작은 바다 동물의 접합체이다. 지금은 인간 때문에 대보초가 더 이상 파괴되지 않도록 대보초 국립공원으로 지정하여 보호하고 있다.

토레스 해협
오스트레일리아
카펀테리아 만
산호 해
대보초
산호초
바다거북
아보리진(원주민) 사람들의 춤
모닝턴 아일랜드 섬
소
사탕수수
케언스
바클리 테이블랜드
악마의 대리석
이어진 트레일러
그레이트 디바이딩 산맥
타운스빌
스쿠버다이빙
마운트아이사
오스트레일리아
퀸즐랜드
석탄
매카이
양
앨리스스프링스
비행 왕진 의사
심프슨 사막
록햄프턴
왈라비
오스트레일리아
브리즈번의 고층 빌딩
오팔
에어 호
곡물
브리즈번
골드코스트
하프새
파인애플
토런스 호
우메라
레드검(유칼립투스)
달링 강
코알라
사파이어
윈드서핑
게어드너 호
포트오거스타
브로큰힐
플린더스 산맥
사우스웨일스
웃는물총새
화이앨라
철강
석탄
뉴캐슬
오리너구리
시드니
자동차
애들레이드
밀두라
머럼비지 강
머리 강
울런공
와가와가
캔버라
시다새
빅토리아
앨버리
시드니 오페라 하우스와 다리
상어
백상아리
포도주
벤디고
목재
밸러랫
파도타기
멜버른
스키
경마
오스트레일리아 수도 특별 지역
닭새우 (왕새우·대하)
쇠푸른이펭귄
배스 해협
태즈먼 해
요트
태즈메이니아데빌
태즈메이니아
포트 아서에 있는 영국 죄수 유형 식민 유적
호바트
사과
오스트레일리아
자료 컴퓨터
시드니 항의 풍경. 다리와 오페라 하우스(오페라 극장)가 보인다.
큰 도시와 인구 : 시드니 4,627,000명 멜버른 4,246,000명, 브리즈번 2,189,000명
가장 긴 강 : 머리-달링 강 3,750㎞
가장 큰 호수 : 에어 호 9,583㎢(면적이 가장 넓을 때임. 물이 바싹 마를 때도 있음.)
세계 제일의 양털 생산국 : 오스트레일리아는 세계 양털 생산의 25%를 차지한다. 국민 한 사람에 양이 약 10마리가 있다.
세계에서 가장 긴 울타리 : 딩고(오스트레일리아 들개)의 습격을 막기 위해 퀸즐랜드의 양 목장 지역을 두른 철망 울타리. 무려 2,500㎞가 넘는다.
코알라는 오스트레일리아에서만 살고 있는 동물로, 보호를 받고 있다.
오스트레일리아
수도 : 캔버라
면적 : 7,686,850㎢
인구 : 25,499,000명
언어 : 영어
종교 : 크리스트교
통화 : (오스트레일리아) 달러
오스트레일리아의 주들
노던 주
주도 : 다윈
면적 : 1,346,200㎢
인구 : 246,700명
뉴사우스웨일스 주
주도 : 시드니
면적 : 801,430㎢
인구 : 7,955,000명
빅토리아 주
주도 : 멜버른
면적 : 227,600㎢
인구 : 5,205,000명
사우스오스트레일리아 주
주도 : 애들레이드
면적 : 984,380㎢
인구 : 1,733,000명
오스트레일리아 수도 특별 지역
주도 : 캔버라
면적 : 2,432㎢
인구 : 419,000명
웨스턴오스트레일리아 주
주도 : 퍼스
면적 : 2,525,500㎢
인구 : 2,591,000명
퀸즐랜드 주
주도 : 브리즈번
면적 : 1,727,000㎢
인구 : 4,990,000명
75

뉴질랜드 *New Zealand*

오스트레일리아에서 남동쪽으로 1,600km쯤 떨어져 있는 뉴질랜드는 북 섬과 남 섬을 중심으로 이루어졌다. 많은 사람들이 따뜻한 열대성 기후 지역인 북 섬에서 살고 있다. 처음으로 뉴질랜드에 정착한 사람들은 지붕이 없는 작은 배로 폴리네시아 섬들에서 뉴질랜드로 항해한 서기 900년경의 마오리족이다. 그리고 뉴질랜드를 처음 발견한 유럽 사람은 네덜란드의 탐험가 아벨 타스만이었다. 서기 1642년의 일이었는데, 이후 뉴질랜드는 1840년에 영국의 식민지가 되었다가 1907년에 독립했다. 현재 뉴질랜드는 세계 제일의 양고기 수출국이자 세계에서 둘째가는 낙농 제품 수출국이다. 공업과 농업도 주요 산업이다.

솟아오르는 온천수

뉴질랜드 북 섬의 도시 로터루아 근처에서는 온천수가 솟아오른다. 어떤 곳에서는 땅 속 압력이 아주 세서 물이 70미터 높이까지 솟는다. 이 지방에서는 온천의 증기를 이용하는 발전소를 지었다.

북 섬

남 섬

태즈먼 해

뉴질랜드

0 50 100 150 200 250 km

자료 컴퓨터

뉴질랜드 북 섬의 북부에 있는 항구 도시 오클랜드는 수상 스포츠로 유명하다.

가장 큰 호수 : 타우포 호 606㎢

가장 긴 강 : 와이카토 강 430㎞

큰 도시와 그 인구 :
오클랜드 417,000명
웰링턴 381,000명
크라이스트처치 363,000명

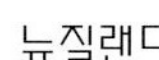

뉴질랜드
수도 : 웰링턴
면적 : 270,534㎢
인구 : 4,822,000명
언어 : 영어, 마오리어
종교 : 크리스트교
통화 : (뉴질랜드) 달러

뉴질랜드 남 섬의 해안에서는 바다의 긴 후미들이 육지로 깊숙이 파고들었다. 노르웨이의 피오르를 본 따서 이곳을 피오르 지역이라고 한다.

 *초6 사회 함께 살아가는 세계·중1 사회 아메리카 및 오세아니아의 생활·고등 세계지리 오스트레일리아와 뉴질랜드, 환경 문제

찾아보기

글 / 리처드 켐프
10여 년 동안 지리 교사로 근무했으며, 현재 영국 버킹엄셔 주 교육위원회 고문으로 있다. 어린이들을 위한 지리 교과서를 편찬했으며, 지도 제작 편집 고문을 맡은 바 있다.

그림 / 브라이언 델프
세계적인 삽화가. 런던의 아트 스튜디오에서 유명 회사들의 광고 작품을 제작했으며, 1972년부터는 동식물, 의학, 기계공학, 건축 등 다양한 분야의 책에 그림을 그렸다.

번역·감수 / 김주환
서울대학교 사범대와 대학원에서 지리학을 공부하고 연세대 대학원에서 지질학을 전공했다. 현재 동국대학교 사범대학 지리교육과 교수로 있으며, 펴낸 책으로는 『한국지리 총론』 『자연지리학 연구』 『고등학교 사회과 부도』 외 다수가 있다.

감수
고종훈
서울대학교 동양사학과를 졸업했다. 솔빛 위성방송 강사로 있었으며, 현재 메가스터디 강사로 있다.

박영주
서울대학교 사범대학 지구과학교육과를 졸업하고, 서울대학교 자연과학대학원 대기과학과를 졸업했다. 현재 반포중학교 과학교사로 있다.